KB142540

골디락스 : 간격

전라남도 도립국악단

차례

[서문]

최적의 거리, 아름다운 간격 : 골디락스

류형선 전남도립국악단 예술감독

◆◆◆

영국의 전래동화 「곰 세 마리」에 등장하는 금발머리 소녀 골디락스의 이름에서 유래한 용어, 골디락스! 차갑지도 않고 뜨겁지도 않은 적당한 온도, 멀지도 않고 가깝지도 않은 최적의 간격·거리, 이런 뜻으로 쓰인다. "더도 말고 중간만 해라", 이런 처세의處世 뉘앙스는 결코 아니다.

「곰 세 마리」 동화의 골자는 이렇다.

> 아빠 곰, 엄마 곰, 아기 곰이 숲속의 오두막집에서 살고 있었습니다. 어느 날 식사를 하려고 죽을 끓여 그릇에 담아 놓았는데, 죽이 식을 동안 곰 가족은

잠시 숲속 산책을 나갔습니다. 그 사이에 금발머리 소녀 '골디락스'가 오두막집에 들어왔어요. 배가 몹시 고팠던 소녀는 허락도 없이 식탁에 차려진 죽을 먹으려 합니다. 그런데 아빠 곰의 접시에 담긴 죽은 너무 뜨거웠어요. 엄마 곰의 죽은 차가웠고요. 아기 곰의 죽은 뜨겁지도 차갑지도 않았습니다. 골디락스는 이 중에서 뜨겁지도 차갑지도 않은 아기 곰의 죽을 맛있게 먹었답니다.

영국의《파이낸셜 타임스》가 주인공 소녀의 이름을 빌려와서, 중국이 2004년 9.5%의 고도성장을 이루면서도 물가 상승이 없는 것을 빗대어 '중국 경제가 골디락스(goldilocks)에 진입했다'고 기사화한 이래, 고도의 경제 성장을 이루면서도 물가 상승이 수반되지 않는 상태, 즉 이상적인 경제 호황을 일컬어 '골디락스'라 널리 부르게 되었다. 일테면 '골디락스'는 한 나라의 경제가 이룰 수 있는 **'최적의 상태'**를 일컫는 용어이다.

01.

전남도립국악단 북앨범의 타이틀을 '골디락스'로 포획하게 된 이유는 늪지대를 걷는 것마냥 질퍽이고 있었던 나의 생각들을 쾌적하게 솎아 내는 용어로 팍 꽂혔기 때문이다.

가령 모닥불을 쬘 때 너무 가까이 있으면 뜨겁고 멀리 떨어져 있으면 춥다. 춥지도 않고 뜨겁지도 않은 적당한 거리가 있을 것인데, 아무도 가르쳐 주지 않아도 모닥불 주변에 앉은 사람들은 모닥불과 사람의 적당한 간격 즉 골디락스를 몸으로 터득한다. 모닥불 주변이 일정한 간격으로 동그란 모양을 이루는 것은 바로 그 최적의 거리 때문이다.

02.

태양으로부터 가장 가까운 거리에 있는 행성이 수성이다. 자전 속도가 느려서 수성의 하루는 지구의 176일 정도 된다 하니 몹시 지루한 하루가 아닐 수 없다.

176일이라는 긴 하루 동안 수성의 절반은 태양으로부터 너무 가까운 탓에 무려 476도까지 올라간다고 하니, 온통 그을려 불타고 있는 상태이다. 반대로 수성의 나머지 절반은 176일의 긴 하루 동안 태양의 수혜를 전혀 받지 못한 상태로 영하 180도의 혹독한 추위 속에 놓여 있다.

온통 그을려 불타고 있는 상태의 절반과 혹독한 추위에 속박된 절반이 하루하루 교차 되풀이하면서, 고통스럽게 생존할 수밖에 없는 운명의 행성이 수성이다. 태양으로부터의 골디락스를 유지하지 않은 대가치고는 몹시 가혹하지 않은가.

우리가 사는 이 지구가 지금 모습 이대로 생존 가능한 이유는 생명체가 살기에 최적화된 골디락스를 태양으로부터 유지하고 있기 때문이다. 이 거리가 조금만 더 좁혀지거나 조금만 더 멀어지면 지구의 생명체는 지금의 모습과는 전혀 다른 질서로 재편될 수밖에 없다.

03.

'사람이 아름다워 보이는 거리'가 또한 있다. 지나치게 밀착되어 있으면 긴장감은 무너지고 불필요한 오지랖이 관계를 지배한다. 인간의 교감과 부교감 신경체제가 본디 그렇게 작동한다.

특히 사랑하는 사람과의 관계일수록 '수컷과 암컷'

으로서의 욕망과 '인격과 인격'의 신뢰가 지속가능한 긴장 상태로 설정되어 있어야 한다. 욕망과 신뢰, 이 둘의 긴장 관계 말고 연인 관계의 지속성을 담보할 수 있는 처방을 나는 아직 찾지 못했다. 그걸 뭇 연인들은 '밀당'이라고 하는데, 그건 하수들이 쓰는 용어 같아서 썩 내키지 않는다. 만약 오래 지속하길 원했던 사랑의 끝을 아프게 용납해야 하는 상처를 지금 막 경험하고 있다면, 연인 관계의 골디락스가 어떻게 설정되어 있는지 진지하게 성찰해 볼 일이다.

반대로 마음이든 몸이든 일상이든, 너무 멀리 떨어져 있으면 텅 빈 자취방의 겨울처럼 먼지 수북한 한기만 남는다. 연인이든 친구이든, 나라를 구할 거사를 도모하는 것이 아닌 이상 관계의 자양분은 추억이다. 추억이 짙어야 관계가 깊다. 옅은 추억으로 겨우겨우 연명하는 관계는 어려움이 올 때 함께 이겨 낼 능력이 허약한 상태를 의미한다. 어려움과 위기는 인간의 삶을 이루는 기본 존재 조건인데, 이를 함께 이겨 낼 에너지를 상실한 관계를 굳이 지속해야 할 이유가 연인이라는 명패 속에는 없다.

그렇다고 이 글을 읽고 당장 이별을 고하지는 마라. 관계의 골디락스를 다시 설정하면 될 일이다.

04.

내가 반응했던 음악들, 내가 아름답다고 느껴서 내 인생과 동행해 온 음악들의 속내에는 대부분 이 골디락스의 원리가 체현되어 있었다. 자연스럽게 내가 빚어내고픈 창작의 기본 좌표는 골디락스이다.

가령 과하지 않고 모자라지도 않은 음악, 한 번 들어도 오래 들은 듯하고 오래 들어도 늘 처음 들은 것 같은, 그런 음악이다. 깊고 새롭고 심오한 내 얘기를 일방적으로 해대는 작품이 아니라 듣는 이들의 애틋한 교감이 가능한 음악이다. 사람들의 입맛에 맞추기 급급한 작품이 아니라 내 삶의 정직한 성찰과 고백이어서 내 인생의 오롯한 흔적으로 남는 음악이다.

더 나아가 나 죽은 뒤에도 사람들 곁에 오래오래 머무를 자격을 갖춘 그런 음악 — 이 북앨범에 도종환 시인이 보내 준 명제처럼, '무늬와 바탕'이 서로 잘 어울리는 그런 음악, 이 지상에 머무르는 동안 나도 그런 음악을 남기고 갈 수 있다면, 아! 얼마나 좋을까.

오래된 것은 다 아름다운가? 그렇다. 이 지상에 오래 머물러 있어야 마땅한 사유가 있기에 오래된 것이다. 그 정당한 사유를 갖추지 못한 것들은 긴 시간이 더해지면서 저절로 자정自淨되거나 다른 것에 용해溶解되었다. 시대의 간극을 뛰어넘어 살아남을 수 있는 정당한 사유를 갖춘 그것을 다른 말로 '전통' 혹은 '고전'이라고 부른다. 일테면 전통음악과 고전음악은 음악의 골디락스를 오랜 세월이 연출한 결실이다.

오래된 음악의 그 정당한 사유가 궁금하여 내가 국악을 작곡 인생의 거점으로 삼은 것인데, 어느덧 스무 해를 훌쩍 넘겼다. 전남도립국악단은 이 거점을 기반으로 노래하고 춤추고 연주하고 두드리는 사람들로 특화된 집단인데, 벌써 서른다섯의 나이를 먹었다.

05.

생태生態! 이 화두를 거머쥔 분들이 쏘아댄 허다한 명제 중에 내 심장에 콕 와서 박힌 것은 '사람이 자연의 주인이 아니라 자연에 사람이 세貰 들어 사는 것이다', 이 명제이다.

코로나 19는 이 지상에 세 들어 사는 인간의 문명이 자연을 정복과 개발의 대상으로 여긴 이래, 파괴하고 도용하고 도발하고 도말하고 무너뜨리고 깨뜨리고 쫓아내고 점령하고 강탈하는 폭주를 거듭해 온 행태에 대한 근본적인 성찰을 요구한다. 바이러스는 그저 바이러스

일 뿐이다. 사라지거나 도말되는 게 아니다. 자기 보전과 증식을 위한 매개체로서 숙주의 세포를 필요로 하는 기생체이니, 바이러스와 관계하는 인간의 방식을 달리하는 게 유일한 해결책이다. 따라서 코로나19 팬데믹의 화두話頭는 문명과 자연의 상호공존이 가능한 골디락스이다.

팬데믹을 경과한 이후의 인류가 팬데믹 이전의 상태를 온전히 회복하는 것은 불가능해 보인다는 게 업자와 선수들의 정평이다. 그 사이에 둥지를 틀고 안착한 것들이 부지기수일 것이니 말이다. 세상이 늘 변화의 조짐 가운데 있는 것이니, 온전한 회복이 굳이 필요한 이유도 없을 것이다.

다만 미증유의 난리굿을 치른 것처럼, 팬데믹을 조우한 호모사피엔스 문명의 허약한 실체를 현 인류가 오감으로 체득했다는 사실은 매우 중요하다. 이 미증유의 경험을 두터운 교집합으로 확보한 이후의 인류의 선택이 무엇일지, 어떤 전환적 패러다임을 인류의 미래가 희망의 전갈로 보내올 것인지, 내게는 기대감 듬뿍 배인 궁금증이 많다. 이 북앨범에 옥고를 보내온 방현석 교수의 일갈처럼 '날개를 감춘 사람들의 노래'가 울려 퍼지는 이후의 인류이길 애써 기대하고 있다.

06.

대꼬챙이로 낱낱의 굴비를 엮어 내듯 '골디락스'라는 용어로 많은 생각들이 담기기도 펼쳐지기도 하는 것을 나는 느꼈다. 그래서 전남도립국악단 북앨범의 타이틀을 〈**골디락스**〉로 정해 놓고 **'최적의 거리, 아름다운 간격'**이라는 의미를 담아 곧추세웠다.

나의 이런 생각을 맹아萌芽로 평소 드문드문 가깝게 지내 온 여러 작가들에게 글과 시와 그림을 요청 드렸다. 내 어줍은 생각이 이러하니, 이분들의 빛나는 사유 속에는 더없이 신묘한 화두들이 오고가고 있을 것이라 확신했다. 그것을 옥고로 받아 전남도립국악단의 첫 북앨범 〈골디락스〉를 만들고 싶었다. 전남도립국악단 홀로 외롭게 앨범을 만드는 것만으로는 다 채워지지 않는, 어떤 갈증이 있었던 것이다.

전북 임실에서 문화재로 기거하시는 김용택 시인은 AI 산업이 가장 불편해할 것 같은, 시 같고 산문 같고 서신 같은 글로 새벽 우물물처럼 화답했다. 삶은 불가사의여서 늘 새롭고 신비롭고 감동이며 전율인 것을, 이 모든 것을 물거품으로 만드는 '특이점'에 대한 그의 근심의 깊이는 짙고 치밀하며 찬란하다.

'수평인 그대로 고요해라'라고 엄습하는 언어로 벼

린 정호승 시인은 의례 질척함 한 올 느껴지지 않는 연민의 시詩「그네」를 보내 주었다. 사랑하는 일은 그네를 타는 일이니, 가난한 사랑으로 그네를 탈 때마다 수평의 골디락스라는 명제와 더불어 거듭 또 거듭 불러오고 싶을 시이다.

처음부터 여의도 국회 한복판에 있었지만 늘 '도의원'으로 불리는 도종환 시인은 「꽃과 나의 빈빈한 거리」로 골디락스 화두를 다사로움 그득한 시선으로 풀어 주었다. 그의 소망처럼 문文과 질質이 서로 빈빈彬彬한 음악을, 무늬와 바탕이 잘 어울려 빛을 내는 음악을 내 인생을 통해 나도 꼭 만나 보고 싶다.

전주에 기거할 때는 '밤에, 전라선을 타 보지 않은 자者하고는 인생을 논하지 말라'더니, 교편을 다른 곳으로 옮기고 경북 예천으로 귀향한 안도현 시인. 그의 골디락스는 '때를 맞추는 일'이다. 김용택 시인보다 키가 조금 더 큰 그의 몸 구석구석에 허다한 생명의 씨앗들이 심겨 꾸물거리고 있을 것 같은 글이다.

글과 발로 삶의 처절한 밑바닥 시詩를 밥 퍼주듯 30년 넘게 써 온 최일도 목사는 골디락스 소녀가 마주한 곰 세 마리의 죽 그릇을 '따뜻한 밥-식은 도시락-빈 그릇'의 프레임으로 애틋하게 담아 주었다. "나 죽으면 코로나 때문에 죽는 게 아니라 외로워서 죽은 걸로 알면 되네", 무의탁 어르신과 노숙인들의 아리디 아린 이 고백을 기어이 그의 글로 만나 버렸으니 이를 어쩌랴.

우리에게 정말 부족한 것은 무엇일까? 이 질문을 던진 방현석 소설가의 자답은 사랑과 시간과 친구였다. 「날개를 감춘 사람들의 노래를 들어라!」 팬데믹 이후의 세상이 가야 할 희망에 관한 그의 글을 추적하다가 보면 베트남의 사파와 까마우를 꼭 가 보고 싶은 충동이 일 것인데, 고즈넉이 좌우를 둘러보니 전라남도 어디쯤에도 비슷한 동네가 있을 것 같은 예감이다.

다른 것으로 대신할 수 없는 즐거움(혹은 감동)에 관한 이건용 작곡가의 통찰은 음악을 대하는 음악인의 삶에 관한 정교한 매뉴얼 같은 것으로 와닿는다. 논거가 명확하고 허튼말이 끼어들 틈새가 없다. 하지만 늘 그랬듯 그의 글은 고백과 성찰을 기반으로 빚어진 것이어서 순전한 설득력으로 귀결된다. 뜻밖의 손님 같은 글이 선물처럼 왔다.

국악 장단의 뿌리를 집요하게 파헤쳐 가다 보면 그 밑바닥 원천 같은 '2와 3'을 만난다. 2와 3이 장단의 구조적 배아(embryo)이다. 허다한 시김새의 결 이면으로, 국악 장단이 내포하고 있는 속내의 본질은 이것이다. 김해

숙 가야금 연주자가 골디락스 화두를 국악 장단의 2와 3의 배아로 풀어 쓴 원고는 오감으로(만) 장단을 체현한 이들에게 그 감각의 한계 지점을 명료하게 내보여 줄 것이다. 꼭꼭 씹어 오래 되새김하고 싶은 글이다.

본래 작가들은 마감이 닥쳐야 쓴다, 그러니 원고 마감일을 앞두고 부디 자주 독촉해 달라, 그래야 내가 겨우 그림을 그릴 것이다… 이런 개성 넘치는 주문을 거듭해 온 박재동 화백은 기대를 저버리지 않고 늦게 보내온 그림으로, 쉰일곱의 나를 순식간에 스물 초반으로 데려다 놓았다. '사람이 아름다워 보이는 거리', 이런 부제를 달아 두어도 좋을 것 같은 그의 그림을 전남도립국악단이 몸담고 있는 남도소리울림터 어딘가에 확 펼쳐 놓고, 거리를 오고가는 만인이 아무 때나 보고 싶게 해 볼까, 어쩔까.

07.

이 북앨범에 전남도립국악단원들이 연주한 음악들이 함께 실려 있다. 내가 예술감독으로 부임한 이래 2020년 3월부터 딱 1년 동안, 전남도립국악단이 새롭게 만들고 연습하고 발표한 것들을 녹음을 거쳐 솎아 낸 작품들이다. 더 많은 작품들이 수줍게 대기하고 있지만 이런저런 이유로 다 담지 못했다. 전남도립국악단의 북앨범 2집을 기약하면서 다음 기회로 미룬다.

부디 우리 단원들의 음악과 작가들의 글과 시와 그림이, 사랑에 흠뻑 빠져 내일이 없을 것처럼 흥분하는 풋내기 연인들처럼 찰싹찰싹 엉겨 붙기를 고대한다.

주저하지 않고 옥고를 보내 준 작가님들께 진심 어린 고마운 말씀을 이 지면으로 드린다. 생경한 일을 기탄없이 맡아 준 '도서출판 걷는사람'의 김성규 대표에게도 심심한 감사의 말씀을 드린다.

2021년 9월

이 글은 시가 아닙니다 나의 새벽입니다

김 용 택

김용택
1948년 전북 임실에서 태어났다. 1982년 공동시집 『꺼지지 않는 횃불로』(창비)에 시를 발표하면서 작품 활동을 시작했다. 시집으로 『섬진강』 『그 여자네 집』 『울고 들어온 너에게』 『나비가 숨은 어린나무』 등이 있으며, 윤동주문학대상, 김수영문학상, 소월시문학상 등을 수상했다.

[시]

이 글은 시가 아닙니다 나의 새벽입니다

김용택 시인

◆ ◆ ◆

지금은 아침 일곱 시

나는 새벽 3시에 일어났어

그때쯤 잠이 달아나 눈이 말끔해져 내가 점점 맑아지는 게 느껴져 개운해지는 게 뭔지 알지?

내 몸속에 있는 잠이 어둠 속으로 달아나고 다른 날이 와

그때 가만히 누워 있으면, 몸이 어딘가로 저 멀리 푹 가라앉고 편안해

그러면 나는 일어나야겠다는 마음이 어딘가에 와 고여 오지

누워서 스트레칭을 몇 개를 해

가령 무릎을 모아 오므리고 왼쪽 오른쪽으로 눕히기를 해

그때 고개는 무릎이 눕는 반대 방향이야

다른 것도 있는데, 그건 나중에 생각날 때 말할게 아무튼, 이런 행동은

내게 매우 중요해

나는 허리와 어깨와 다리와 고개와 팔이 오른쪽 엉덩이가 아프고 오른쪽 어깨가, 특히

그러니까 그런 데가 결리고 저리고 시리거든

그런 몸 상태가 스트레칭 이후 많이 개선되었어 개선이 다 되었어

몸이 자유로워지고 있지

오래 고정 상태로 앉아 있는 게 몸 곳곳을 압박해서 무리를 주거든

이 무리가 문제야 소크라테스 이후 지금까지 나를 알기가 어렵거든

정지는 늘 문제를 촉발시키는 원인과 이유가 돼

정지는 정지를 부르거든, 편안하니까 정지하는 집

단이 모이면 정치보수가 되고

보수補修가 안 되면

수구지

스트레칭은 내 일과 중의 내 몸을 정상으로 되돌려 놓곤 해

그리고 앉아서 고개 돌리기를 해 오른쪽으로 스무 번 왼쪽으로 스무 번

그리고 팔 돌리기도 그렇게 스무 번씩 해 목 꺾기도 해

내가 하는 새벽 스트레칭은 내가 개발했어

내 몸에 맞게 말이야

스트레칭을 하면서 나는 정성을 배웠지 정성이 진보야 정성을 다하면

평등이 오고 자유가 오고 사랑이 오고, 그리고 공정과 평화가 와

행복? 사람이 사는 세상에 행복은 없어 나는 행복, 행복 하는 말도 싫고

그런 사람의 얼굴이 다시 들여다봐져 행복이란 말을 극단적인 개인주의자의

자기만족 언어일 뿐이야 강남 스타일이지 할 수만 있

다면 이 말은 지구에서 추방시키고 싶어

이 말이 무슨 말인지 아는 사람은 알 거야 이 말을 알아들으면 이자는 사회주의자(?)야

다른 순간이 오고 다른 날이 오거든 몸이 그렇게 말해

때로 새로운 스트레칭을 창조하고 연습해서 지속 발전 가능한 나의 스트레칭으로 삼기도 해

사실, '지속'과 '발전'과 '가능'은 서로 등 돌린 원수야 여기서 가능이란 말이 나는 가소로워

이 말을 정치하는 사람들이 좋아 하는데, 알고나 하는 말인지 의심이 가 정치하는 사람들은

의심투성이야

그리고 이를 닦고, 세수하고—이를 이따금 소금으로 닦을 때도 있어

입이 개운해 물로 오래 헹궈

짠맛이 입안에서 다 가실 때까지 말이야

그리고 커피포트에 물을 데워 따듯해진 컵을 두 손으로 꼭 쥐고

물을 후루룩 후루룩 마셔 몸이 후끈거리지

이 습관도 아주 중요해 아침 따순 물은 감기를 예방해

목이 칼칼한 게 뭔가 어제와는 다른 몸의 이상한 낌새가 느껴지면,

따뜻한 물을 마셔서 굳은 몸을 풀어 줘. 그래서 물을 데워 마시는 거야

그리고 현관문을 따고 나와

현관문을 따고 한 발 내려딛을 때 와! 그때가 나는 좋아

세상을 처음 시작하는 기분이거든

바람이 나를 맞이해 줘, 물론 개구리 울음소리가 내 이마를 때릴 때도 있고

귀뚜라미가 지렁이와 소쩍새가 같이 울어 줄 때도 있어

비가 후두둑 발등을 때린 때도 있어

아무튼 나는 새로운 세상을 시작하는 처음 같은 이 느낌이 정말로 좋아

그리고 왼쪽으로 고래를 돌려 현관 옆에 있는 우물을 보지

와! 어제 봄비가 제법이어서 물 떨어지는 우물물 소리가 맑고 깨끗하게 들리네

으음, 이 상쾌함이라니, 물소리가 정말 깨끗해 청량감이 있어

몸이 개운해져

물론 눈보라가 휘몰아칠 때도 있고

눈이 천천히 내릴 때도 있지

바람이 세게 불 때도 있고

물론 달이 휘영청 밝은 밤도 있고

별들이 초롱초롱 떠 있을 때도 있지

하늘이 캄캄할 때도 있어

이런 새벽은 내게 기쁨도 슬픔도 기다림도 사랑도 외로움도 걱정도 근심도 미움도

정치도, 경제도, 물론 시 따위는 생각 안 나, 내가 사랑하는 우리나라도

착한 국민들도 그땐 없어

새벽하늘의 별을 바라보고 있으면, 나는 텅 빈 우주 속에 생각 없이

떠도는 별, 그냥 아름다울 뿐인 별 같아

부정하고 불편하고 욕하고, 열 받고 수긍하고 긍정하고 수정하고 수용할 것도 없어

나는 어둔 땅을 내려다보며 가만히 서 있을 때가 많아

나무들이 어둠 속에 그렇게 고요하고, 나와 같이 서 있어

앞산에서 바람이 휭휭 울 때는 대개 겨울이야

세찬 바람에 앞산 나뭇가지들의 비명 소리가 들릴 때도 있어

그렇게 바람이 불거나 눈보라가 치면, 새들이 생각날 때는 있어

새들의 날개가 생각이 날 때가 있어 날개 생각이지, 다른 생각이 아니야

이러고 있으면

어쩌다가 잠이 깬 새가 저 사람 참 일찍도 일어나네, 할 거야

그런 새가 있다고 생각할 때가 있어서 나는 그 새가 좋아

'어둠과 새'

달도 별도 없을 때도 있어

그래도 나는 내 길을 잘 찾아

몇 개의 디딤돌 몇 개의 돌계단, 그리고 다시 디딤돌 몇 개를 더듬어 디디며 서재로 가

눈이 발목을 덮을 때 나는 좋지

그럴 때 나는 내 발을 봐

눈이 온 날은 앞산이 희게 보여

목덜미에 눈송이가 닿아 차고

빗속을 바삐 걸을 때도 있지

서재로 오다가 강물이 보이는 곳이 나오면 고개를 돌려 봐

그곳에 강이 있어

강물 소리가 들릴 때도 있어서

물소리가 내 허리를 잡을 때도 있지, 그러면 나는 고개를 돌려 그곳을 봐

달빛이 부서지며 죽고 사는 강물이 거기 문득, 있을 때가 있어 놀라워 달빛으로

부서지는 강물의 생사가 눈부셔

어쩔 때는 마당으로 나가 그 강물을 바라보고 서 있

다가 강물까지 걸어갔다 올 때도 있어

강물이 흘러가는 쪽을 바라보다가 와

아무 생각 없어 생각이 안 나지 생각하면 무거워서 집에 못 와

달빛 아래 부서져 굽이도는 강물은 무슨, 어떤 생각을 나게 할 것 같아도

나는 생각이 안 나

진짜야

아무 생각이 안 나, 새벽이 아름다운 것은 생각이 안 난다는 거야

눈에 보이고 몸에 닿고 귀를 찾아오는 것이 다야

다 마음 밖에서 머물러 버려

텅 비어 있어

나를 때리면 텅텅 타악기 소리가 날 것 같아

서재 문을 따고 방에 들어가 불을 켜고 책상에 앉아 이렇게 말할 때도 있어

달빛이 부서지는 저 서정의 강물을 누가 내게 주었는가

그렇게 생각할 때가 있어

그때부터 나는 사실 세상에 대한 생각이 작동하기 시작해

세상은 복잡하지, 살아야 하니까

서재에 들어와 컴퓨터를 켜고 내가 처음 세상과 대면하는 것은

축구 명장면 영상이야 나는 메시, 살라, 음바페, 홀란드를 좋아해

그들이 볼을 다룰 때 보면, 다른 이들과 달라 보여

무지하게 돌파하는 힘차고 유연한 몸이 흐르는 물을 거슬러 가는 물고기 같아

네이마르의 현란한 발재간은 또 어떻고, 그의 질주는 거의 폭력적이야

그의 질주는 끝을 계산하지 않아 저돌이 무엇인지 알고 있어

공무원들의 계산된 토건하고는 달라

순간순간 이어지는 순간의 선택과 눈부신 결정이 찰나의 발길로 이어져 공이 날아가는 거야

그것도 바나나같이 휘어져서 골대를 약간 스치듯 골대 안쪽으로 말이야

얄짤없지

틀림없어

넋 나가지 뭐 손 못 써

아름다운 율동이야 행동을 조율한 화음 같아

그냥 볼을 차는 것이 아니라

몸과 생각의 놀이 같아, 무엇인가 있어 설명이 잘 안 되는 그런 어떤 신비로움이랄까

호날두도 있지만, 이이하고 이들은 달라

이야기가 어먼 데로 갔는데, 삶, 그것은 삶이어서 치열해 평화가 거의 없어

평화를 모르는 거야 안심할 수 없어

복잡해, 진짜 복잡해서

나는 살아가야 해

모두 살아가야 해

모오두 말이야— 삶을 나는 정말, 어떻게 말 못 해

말 못 해 정말이지, 삶이지 절대 쉽지 않아 간단치 않지 말로 못 해 말로 밥을 하면 조선 팔도 사람이

다 먹고도 남는다는 말이 있지 이 말은 말이 거의 소용이 없는 뻥이라는 거야

예수님도 그런 비슷한 행동을 하신 적이 있지 아마

다만, 나는 살 뿐이지

어떻게 사냐고? 몰라

사는 것은 불가사의야

늘 새롭고, 그래서 신비롭고, 그러니까 감동이지 전율이지 뭐

감동은 살아 있어

생물이야 생태지 순환이야

헤겔의 정반합이고 칸트의 순수 이성 비판이지 플라톤이야

사실은 지금 칸트가 시스템화해 놓은 철학적 삶의 구조가 심히 흔들리고 있어

철학의 시대는 가고 수학의 시대가 남았지

인공 지능은 미래가 현재로 나타나기도 하잖아

인공의 지능은 생태와 순환이 안 돼 말하자면 세포가 없지

배양이 안 되는 거지 계보가 없어 돌연이 변이가 차례와 순서 없이 들이닥쳐 어떻게 보면 절망이야

요새는 또 좀비들이 그렇게 많아 그런데 좀비들은

연대 없이 무리를 만들어 다녀

어떤 우주의 정치인들 같아 진짜 이들이 낯설어 죽었는데, 살아나 내 앞에 서 있어 봐

기절하지, 그런데 버젓이 살아나 되레 떼를 지어 몰려다니며 큰소리치며 활개를 치고 다녀

정말 창피해

부끄러워, 정치인들의 에스엔에스 내용들이 정말 쪽팔려

우리 국민들을 보면 우리나라에 태어난 게 자랑스러운데, 정치인들 하는 말들을 듣고 있으면

정말 부끄러워 야지와 야비와 야만과 야유와 야욕이 쉰 고추장을 쓰고 범벅이 된 얼굴들,

이 나라에는 공부를 하는 학생들이 보고 있잖아 그렇게 정말 쩨쩨하고 치졸하게 말을 해 놓고

집에 가서 자기 아들딸과 같은 밥상에 앉아 밥이 목구멍으로 넘어가나

제발 고운 말들 좀 하고들 살자

나는 니체가 제일 맞는 사람 같아

니체가 이런 말을 했다는 말을 김훈의 글에서 보았

는데, 니체가 이랬다

'진보는 남의 말을 잘 알아듣는 것이다'

삶 그것은 외수가 없어

외수 없는 아버지의 발길을 나는 따른 적이 있어

산길이었어

지금 내가 살고 있는 집이 내려다보이는

앞산의 오솔길이었지 노루 토끼들이 다닌 길이었던 것 같아

그 길을 따른 것 같아 아버지 뒤를 말이야

그들은 늘 다니던 길을 다녀

그게 안심인지 알아도 오산이지

적은 그걸 알아

돈이 가는 길을 아는 사람이 자본가가 되거든

돈이 가는 길을 막아서서 돈을 자기 자루에만 배 째지게 담는 거야

공무를 보다 보면 '그 걸 알 아 교 묘 하 게 실 행 해' 그리고 그들끼리 작당을 해

계급이 되는 거지 무서운 좀비 권력은 거기서 나와

거기다가 자기 닮은 패거리들을 모아 언론으로 프

레임의 올가미를 씌워 버려 간단해

아무튼 또 그러다가 보면

어느덧 일곱 시야

그사이 이런저런 일을 하지 일기도 쓰고 신문도 보고

유재석과 탁재훈 예능, 막장 연속극, 영화 리뷰 뜬금 없는 트롯 등등등

시도 손보고, 한 네 시간쯤 나는 그렇게 앉아서 복무(?)를 해

때때로 일어나 스트레칭을 하지, 말이 스트레칭이지 밤하늘의 달이 그런 나를 본다면

옆에 있는 별을 보며 이렇게 말할 것 같아

'저 사람 또 별 지랄을 다 한다 저런 걸 달밤에 체조한다고 하는 거야'

어쩔 때 시 때문에 지쳐

벌러덩 누울 때가 있어

일곱 시가 다 되어 가면 또 운동을 해, 국민체조, 건강 박수, 스트레칭 체조 스무 가지,

요새는 간단한 노래와 함께 춤도 춰

내가 생각해도 내 춤추는 모습은 웃겨서

혼자 막 웃을 때가 있어

키도 좀 되고 몸매도 좀 되고 그래야 춤의 태가 드러나는데, 난 총체적으로 안 그러잖아 그래서 웃겨

그래도 점점 춤이 늘지 몸도 유연해지고 동작들도 세련되어지고 몸도 좋아지고

중요한 것은 무슨 일이든 초지일관 2,3년 하면 는다는 거야

내 좋아하는 말 중에 하나가 이런 말이야

'시작은 미미했으나 끝은 창대하리라!'

나는 그것을 믿어, 공부도 운동도 할수록 '늘어'

내 몸의 움직이는 범위가 넓어지는 거야 그러하듯이 정신의 영토도 그러니까

정신의 부동산이 늘어 확실하게 는다니까

새들이 울고 있네 저 소리가 내 어떤 영혼이야 영혼은 팔 수만 있지 사지는 못해

이제 밖으로 나갈 때야

강 길을 찾아갈 때지, 산책을 가야 해 겨울에는 추워서 아침밥 먹고

가지만 여름이나 봄이나 가을을 해 뜨기 전에 나가

강물을 따라 걸을 때도 있고 강을 건너 걸을 때도 있고 마을을 지나 뒷산 길로 넘어갈 때도 있어

강물을 따라 걷다가 돌아올 때는 강물을 거슬러 걸어

순응과 거역을 나는 알아

강물을 따라 걷고 거슬러 걸으면서 일어난 일이 얼마나 많은지에 대해서는

또 언젠가 글이 써지면 쓸 날이 오겠지 실은 이 걷는 이야기가 더 길고 끝이 없어

나는 늘 새로운 것이 보이고 그것을 기억해 놓고 있어 나날이 새로워 내 것이 아닐 때 모든 것들이

새로워

다행히도 오늘은 어제 울지 않던 새가 오늘 처음 울었어

매우 듣기 좋은 새소리였어

얼른 나가 새를 찾았는데, 이상도 하지 감나무 가지 끝에 앉아 우는 새는

딱새였어

보통 때 딱새는 저렇게 울지 않는데, 저렇게 우네

울음소리를 새로 울기로 하고

어디 가서 배워 왔나 싶어 전혀 다른 소리로 울고 있었어

참나, 별일도 다 있지 딱새도 늘 정진하나 봐 공부하고 새로운 소리를 찾아서 말이야

우리 집 뒤에는 돌들이 많이 살고 있어

밤나무들이 많지, 그 밤나무 숲속으로 달이 질 때도 있어

달이 돌들과 같이 사는 곳이야

나는 이따금

그곳을 바라보기를 좋아해

아무 생각 없이 말이야

봄에는 꾀꼬리들이 날아들거든 호반새도, 파랑새도 와

파랑새는 우리나라에 와서 짝을 짓고 집을 지어 새끼를 기를 시간이 없어서

남의 집을 빼앗아 남의 것을 빼앗으면 동네가 시끄러

파랑새는 음지에서 그러는 게 아니라 커밍아웃하고 그래

그래서 그렇게 시끄럽게 해도 크게 욕을 안 먹어

적어도 마을 사람 모르게 숨어서 고발하거나 신고하지 않아

그 밤나무 숲에 말이야

꾀꼬리 알아? 꾀꼬리가 울면 동네 사람들이

이렇게 말해

꾀꼬리 울음소리 듣고 참깨가

나고 보리타작하는 도리깨 소리 듣고 토란이 난단다

노란 꾀꼬리가 이렇게 울 때가 있어

덕치 조 서방 삼 년 묵은 술값 내놔

내가 사는 행정구역이 덕치면이거든

술값 떼어먹은 조 서방은 지금도 외상 술값을 안 갚았나 봐

새들은 다 알아

새들이 아는데, 내가 무엇을 모를 줄 아는 사람들이 있어

나는 달이 왜 늦게 오는 줄도 알아

새들은 짝짓기만 빼놓고 다 계획대로 해

거의 기생충의 송강호 가족같이

치밀해, 본능적으로…… 틀림없어

아! 본능!

근데

AI는 본능이 없어

무식하게 결정만 있는 거야

근데 모르지, 인간의 역사를

물거품으로 만들지…… 모르지

그 물거품을 인문적인 용어로 유식하게 말하면,

특이점이라고 해

특이점……

꽃과 나의 빈빈한 거리

도 종 환

도종환
1954년 충북 청주에서 태어났다. 시인이자 제21대 국회의원. 1984년 동인지 『문단시대』로 작품 활동을 시작했다. 시집으로 『접시꽃 당신』 『흔들리며 피는 꽃』 『해인으로 가는 길』 등이 있으며, 신석정문학상, 정지용문학상, 윤동주문학대상, 백석문학상 등을 수상했다.

[산문]

꽃과 나의 빈빈한 거리

도종환 시인

◆ ◆ ◆

오후 내내 봄비 내립니다. 봄비에 라일락꽃이 연보랏빛 눈을 뜹니다. 춘분과 청명 사이에 오는 비는 나무들이 가장 좋아하는 단비입니다. 올해는 엿새에서 이레 정도 일찍 봄꽃이 피었습니다. 여기저기 꽃축제 한다고 날을 잡았는데 꽃들이 축제날보다 일주일은 먼저 피었습니다.

겨울비에 꽃을 피우는 나무는 없습니다. 너무 시리기 때문입니다. 대지가 폭염으로 뜨겁게 타오르다가 참지 못해 쏟아지는 폭풍우에 꽃을 피우는 나무는 없습니다. 꽃 한 송이는 햇빛의 기운과 비의 기운, 흙과 바람의 기운으로 피어나지만 봄비처럼 살에 스미는 물의 기운

이어야 생명으로 이어집니다. 너무 시리거나 너무 뜨거운 기운은 생명의 생동을 불러일으키지 못합니다.

봄에 피는 꽃들은 빛깔이 강렬하지 않습니다. 산수유의 노란빛은 소박한 노란빛입니다. 매화의 은근함, 살구꽃의 은은함, 진달래의 촌스런 분홍은 봄비의 온도만큼 편안합니다. 백목련의 희디흰 빛도 봄비와 봄 햇살이 빚어낸 빛깔입니다. 봄에 피는 꽃들은 화려하지 않습니다. 봄에 피는 꽃들은 꽃송이가 작습니다. 조촐하고 겸허한 모양으로 아름답습니다. 덕이 있는 모습입니다.

그런 꽃들이 '저만치' 피어 있습니다. 김소월이 「산유화」에서 이야기한 것처럼 저만치 피어 있는 꽃.

"산에는 꽃 피네 / 꽃이 피네 / 갈 봄 여름 없이 / 꽃이 피네 // 산에 / 산에 / 피는 꽃은 / 저만치 혼자서 피어 있네"

저만치라는 거리는 꽃과 나와의 거리입니다. 내가 꽃을 바라보고 사랑하는 거리입니다. 꽃을 꽃으로 존재하게 하는 거리입니다. 꽃을 소유하고자 하는 거리가 아닙니다. 욕망의 거리는 밀착되어 있습니다. 그러나 꽃을 꽃으로 존재하게 하면서 사랑하는 거리는 멀지도 가깝지도 않습니다. '저만치'의 거리입니다. 그 꽃이 사랑스럽게 내 앞에 있는 거리. 꽃도 나를 바라보고 있는 거리. 그런 거리입니다. 그 꽃이 아름답게 피어 있는 걸 보고 있는 거리. 그 꽃이 외롭다는 걸 아는 거리. 그 꽃도 나처럼 존재하다 나처럼 저문다는 걸 아는 거리입니다. 그 꽃이 나의 소유가 아니지만 내가 그 꽃을 꽃으로 존재하게 하면서 꽃을 사랑하는 거리. 그 거리를 소월은 저만치의 거리라고 했습니다.

누군가를 처음 사랑할 때는 뜨거운 사랑이 좋게 느껴집니다. 그러나 오래가는 사랑은 따뜻한 사랑입니다. 뜨겁게 사랑하지만 그 사랑의 불이 서로를 까맣게 태워버리는 사랑의 불도 있습니다. 바짝 붙어 있지만 늘 허기지고 실망스럽고 기대에 못 미치고 화를 삭일 수 없는 사랑이 있습니다. 불의 기운이 가득한 사랑입니다. 너무 가까이 있는 것이 원인일 수 있습니다. 그러나 불에 타지도 그슬리지도 않으면서 따뜻한 사랑도 있습니다. 두 사람 사이에 알맞은 거리를 두면 그게 가능합니다.

사원의 기둥처럼 한 집을 이루고 있지만 서로 떨어져 있으면 그게 가능합니다. 칼릴 지브란이 말하는 것처럼 두 사람 사이에 하늘의 바람이 춤추며 오가게 하면 가능합니다. 서로 사랑하되 속박하지 않으면 가능합니다. 현악기의 줄처럼 하나의 음악을 울릴지라도 줄은 각기 혼자 있듯이 그렇게 있는 것입니다. 속박하는 사랑이 아니라 존재하게 하는 사랑을 선택하는 것입니다. 함께 있되 거리를 두는 것입니다. 이게 진정으로 사랑하는 사람 사이의 거리입니다. 간디는 "거리를 두고 보면 / 모두 다 매력이 있다 / 산만 그런 것이 아니라 / 삶의 모든 것이 그러하다"고 했습니다.

아름다운 시는 미적 거리가 잘 유지되고 있는 시입니다. 감정의 과잉은 감정의 덩어리지 시가 아닙니다. 필요 이상의 슬픈 표정을 짓고 있는 시도 좋은 시가 아닙니다. 정서의 충동을 체로 쳐서 걸러 내고 난 사금 같은 알맹이가 시입니다. 감정의 노예가 되어서 끌려가기보다 감정을 다스리고 조절하는 동안 좋은 시를 만나게 됩니다.

"지우고 보고 지우고 보아도 / 새까만 밤이 밀려나가고 밀려와 부딪치고 / 물 먹은 별이, 반짝, 보석처럼 백힌다 / 밤에 홀로 유리를 닦는 것은 / 외로운 황홀한 심사이어니 / 고운 폐혈관이 찢어진 채로 / 아아, 늬는 산새처럼 날아갔구나!"

정지용은 자식을 땅에 묻고 돌아와 「유리창」이란 이시를 썼습니다. 피를 토하며 죽어 간 자식을 생각하는 어버이의 심정은 말로 형언하기 어려울 것입니다. 그러나 그는 자식이 묻혀 있는 유리창 너머 어둠을 지우고 보고 지우고 보면서 절제합니다. 그러다 그 슬픔이 별과 보석처럼 반짝이는 순간을 만납니다. 고통스러운 심정 앞에 '고운'이라는 말을 떠올리면서 슬픔의 격조를 높입니다. 미적 거리를 유지할 수 있었기 때문입니다.

문질빈빈文質彬彬이란 말이 있습니다. 무늬와 바탕이 잘 어울려 빛이 난다는 말입니다. "바탕이 무늬를 이기면 거칠고, 무늬가 바탕을 이기면 간사하다. 무늬와 바탕이 서로 빈빈해야 아름답다(質勝文卽野(질승문즉야), 文勝質卽史(문승질즉사), 文質彬彬(문질빈빈))는 이 말은 논어에 나오는 말입니다.

예술의 내용과 형식, 안과 밖이 이래야 한다는 것이지요. 꾸미지 아니한 본연 그대로의 성질이 살아 있되 거칠지 않고, 본질에 충실하되 절제되어 있고, 아름다우면서도 격조 있는 예술. 그렇게 문과 질이 잘 어우러진 말과 글과 음악을 만나고 싶습니다. 미적 거리 조정에 성공한

시. 저는 아직 그런 한 편의 좋은 시를 쓰지 못하였다고 생각하고 있습니다. 반드시 그런 시를 만나는 날이 오리라 믿고 싶습니다.

적정 거리

박 재 동

박재동
1952년 울산에서 태어났다. 1988년 한겨레신문 창간 때부터 8년 동안 '한겨레 그림판'을 그렸고, 한국예술종합학교 영상원 애니메이션과 교수를 지냈다. 지금은 경기신문에서 '시사만평'을 연재 중이다. 저서로는 『박재동의 실크로드 스케치 기행 1, 2』 『인생만화』 『박재동의 손바닥 아트』 등이 있다.

[글과 그림]

적정 거리

박재동 화가

◆ ◆ ◆

서로 좋아하는 사이, 서로 사랑하는 사이,

아니면 그냥 알고 지내는 사람끼리는 어떤 거리를 갖는 게 좋을까?

너무 멀어도 잊히고 너무 가까워도 공간이 없어 힘들어진다.

서로에게 공명의 울림터가 있게 적절한 사이를 두고

정체 되지 않게 앞으로 나아간다면

가을날의 하이킹처럼 상큼하고 아름다운 삶을 가질 수 있지 않을까.

날개를 감춘 사람들의 노래를 들어라

방 현 석

방현석
1961년 울산에서 태어났다. 소설집으로『세월』『내일을 여는 집』『랍스터를 먹는 시간』『사파에서』장편소설『십년간』『당신의 왼편』『그들이 내 이름을 부를 때』등을 냈으며, 신동엽문학상, 오영수문학상, 황순원문학상 등을 수상했다.

[산문]

날개를 감춘 사람들의 노래를 들어라

방현석 소설가

◆ ◆ ◆

몹시 외롭거나 세상이 덧없다고 여겨질 때면 불현듯 떠오르는 곳이 있다.

베트남의 사파와 까마우다.

사파는 베트남의 서북 국경지대에 있는 작은 산악도시다. 베트남의 수도이자 북부 베트남의 최대 도시인 하노이에서 멀고, 아주 작은 도시여서 언제 가도 한산하다. 일 년에 단 하루, 이루지 못한 사랑을 만나 하룻밤을 보내는 것을 허용하는 3월 7일에는 세상 어디에도 없는 축제를 볼 수 있다.

사랑시장.

포장마차의 앉은뱅이 의자에 앉아 소수민족이 만든 달콤한 가양주家釀酒 지오넵을 마시며 듣는 사랑시장의 노래는 황홀하다. 이날 하루를 기다리며 한 해를 견뎌낸 연인들이 주고받는 노래는 아름답고도 애절하다.

닭은 아침을 기다려서야 목청껏 울고
개울은 달이 뜨기를 기다려서야 졸졸 소리 내어 흐르고
저는 밤 시장이 오기를 기다려서야 사랑을 얘기하지요(여)

온 마음을 다해 그대를 사랑해요
목청껏 그대를 그리워해요
이 삶이 다하도록 그대를 사랑해요(남)

돌 위에 꽃이 필 때까지
돌 뿌리에 싹이 틀 때까지
난 기다리고 또 기다려요(남/여)*

*방현석 소설『사파에서』(아시아, 2020)에 나오는 사랑시장의 노래 가사

낭창낭창한 노랫소리가 귓가에 맴돈다. 지금도 그들은 온 마음을 다해 그대를 사랑하고, 목청껏 그대를 그리워하고 있을까. 내가 가지 못하는 동안 사파의 돌 위에는 꽃이 피고, 돌 뿌리에는 싹이 텄을까. 성당이 올려다보이는 포장마차에는 오늘 밤에도 지오넵 향기 그윽할까.

베트남 북부에 사파가 있다면 남부에는 까마우가 있다.

까마우는 베트남의 최남단이다. 까마우에서도 최남단은 덧무이다. 땅끝마을 덧무이 기념탑 옆에는 베트남 'GPS 0001지점' 표지석이 버티고 서서 더는 갈 곳이 남아 있지 않음을 알린다.

덧무이 해변을 지키는 것은 맹그로브 나무다. 울창한 맹그로브 숲 사이로 펼쳐진 갯벌의 주인은 신기한 물고기 '까 토이 로이'다. 까 토이 로이는 수륙 양용일 뿐만 아니라 심지어 날기도 한다. 갯벌에 물이 들어오면 헤엄치고, 물이 빠지면 뭍에서 뛰어다닌다. 등에는 날개가 달렸다. 가만히 있을 때는 날개를 접고 있다가 이동하고 싶으면 날개를 펼치고 폴짝폴짝 날아다닌다. 나는 덧무이에 가면 까 토이 로이를 지켜보느라 시간을 다 보낸다. 물길도 헤치고, 갯벌을 뛰어다니며 하늘을 나는 날개 달린 물고기는 아무리 오래 보고 있어도 지겹지 않다.

내가 까마우를 좋아하는 이유는 사람들도 까 토이로이처럼 등에 감춘 날개를 지니고 있기 때문이다.

까마우는 사람이 살지 않는 버려진 땅이었다. 다른 나무들이 견디지 못하는 염분이 강한 해안에 뿌리를 내리고 사는 맹그로브 나무처럼 캄보디아, 중국, 베트남 중부로부터 흘러들어 온 사람들이 까마우에 뿌리내렸다. 자신의 땅으로부터 쫓겨난 유배자, 권력을 피해 도피한 망명자, 먹고살기 위해 떠돌던 유민들은 까마우의 숲과 바다가 그들이 떠나온 곳을 묻지 않았던 것처럼 서로의 국적과 고향을 따지지 않고 더불어 살아왔다.

까마우 사람들이 등에 숨긴 날개를 보려면 바뜨엉으로 가야 한다.

바뜨엉은 길이가 7km, 넓이가 2km인 늪이다. 바다처럼 드넓은 늪에는 수상가옥들이 섬처럼 드문드문 떠 있다. 그 수상가옥에 사는 홍의 집으로 가는 보트는 작은 물결에도 요동을 친다.

바뜨엉이 바다가 아닌 늪이라는 걸 알려 주는 건 진흙과 황토가 빚어낸 회색빛 물결이다.

나와 동갑인 홍과 부인 즈엉 티 루아는 웃음을 잃는

일이 없다. 홍이 물 위에 집을 짓고 살기 시작한 지 30여 년이 다 되어 간다.

홍 부부는 아무도 간섭하지 않는 조용한 삶을 선택했고, 후회는 없다. 걱정할 것은 아무것도 없다. 매일 아침 집 둘레에 쳐 둔 그물을 건지면 물고기들이 들어와 있고, 그것이면 식구들이 살아가기에 부족함이 없다.

저녁이면 보트를 타고 온 친구들과 늦도록 술을 마시며 즐긴다.

나는 한 번도 그의 집에 술과 안주, 손님이 떨어지는 걸 본 적이 없다.

"내 집에 온 손님은 배가 차기 전에 일어설 수 없고, 취하기 전에 대문을 나설 수 없다."

홍이 내게 가르쳐 준 까마우의 문화였다. 작은 그물을 당기기만 하면 새우와 게, 생선이 끊임없이 올라온다. 그뿐이랴. 수상가옥의 한쪽에는 닭장과 돼지우리도 있다.

한번은 그물이 비었다고 해서 오늘은 술자리가 끝나려나 했던 적이 있다. 자정이 가까웠는데, 절대 아니었다. 닭장에서 닭 날개를 틀어쥐고 나오는 홍을 보고 나는 두 손을 완전히 들었다.

그에게 나는 두 가지를 물었다.

"왜 늪이 이렇게 넓은데 그물을 집 주변에만 치느냐?

두 배로 치면 두 배의 수입을 거둘 거 아닌가?"

그는 내게 되물었다.

"왜? 이것만으로도 먹고살기 충분한데."

그에게 부족한 것은 돈이 아니고 친구들과 즐길 시간이었다. 부족한 시간을 벌어야지 남아도는 돈을 왜 벌어? 그 순간 훙의 등에서 날개가 펼쳐지는 것을 보았다.

그에게 나는 다음 질문을 던졌다.

"정부가 수상가옥에서 철수하라고 하면 어쩔 거야?"

수상가옥은 정부의 명령이 있으면 언제든 즉시 철수한다는 조건으로 주거가 허락된 공간이었다.

"그럼 뭍에 나가서 집을 지으면 되지."

"그러려면 돈을 벌어 놔야지."

그는 같이 술을 마시고 있던 친구들을 둘러보며 내게 말했다.

"여기 내 친구들이 있잖아. 내 친구 스무 명이 열흘이면 다 지을 거야."

훙에게 사는 데 필요한 것은 돈이 아니라 사람이었다.

"그럼, 그럼."

그의 친구들이 한목소리로 대답했다. 바뜨엉 늪의 사람들이 살아가는 데 필요한 건 돈이 아니라 친구들이었다.

우리에게 정말 부족한 것은 무엇일까.

얻는 것이 있으면 잃는 것도 있고, 잃는 것이 있으면 얻는 것도 있다. 오르막만 있는 길이 없듯이 내리막만 있는 길도 없다.

코로나19는 우리 일상의 많은 것들을 멈춰 세우고, 바꿨다.

강의실의 문을 닫고 영상으로 학생들을 만난다. 항공편이 멈추고 여행길이 막혔다. 처음에는 마스크를 쓰는 것처럼 모든 것이 불편하기만 했다. 여전히 감수해야 하는 불편함이 남아 있고, 불편함 이상의 위기에 직면한 이웃들도 있다.

그럼에도 코로나19가 멈춰 세우고 바꾼 일상이 부정적인 것만은 아니었다. 바뀐 일상은 우리가 늘 당연하다고 여겼던 것들이 실은 당연한 것이 아니라는 사실을 깨우쳐 주었다. 흔들림 없는 일상의 질서 안에 가려졌던 진실이 여기저기에서 민낯을 드러낸다. 지금까지 선진국이라고 믿어 왔던 나라의 민낯을 보았고, 우리가 사는 나라에 대해 조금 더 자부심이 생기기도 했다.

어려움 앞에서 증오를 키우는 사회와 더불어 어려움을 이겨 나가는 사회를 함께 지켜보며 우리는 더 많은 물질이 필요한 것이 아니라 더 많은 '책임 있는' 자유가 필요하다는 사실을 깨달아 가고 있다. 우리에게는 더 간절한 사랑과 더 많은 시간과 더 좋은 친구가 필요하다. 날개를 감춘 사람들의 노래가 필요하다. 사파와 까마우가 그립다.

때를 맞추는 일

안 도 현

안도현
1961년 경북 예천에서 태어났다. 1981년 매일신문 신춘문예에 시가 당선되어 작품 활동을 시작했다. 시집으로 『서울로 가는 전봉준』 『모닥불』 『능소화가 피면서 악기를 창가에 걸어둘 수 있게 되었다』 등이 있으며, 소월시문학상, 노작문학상, 백석문학상 등을 수상했다.

[산문]

때를 맞추는 일

안도현 시인

◆ ◆ ◆

40년 만에 고향에 돌아왔다. 내성천이 바라보이는 경북 예천의 산골짜기다. 밭을 매입해 집을 하나 짓고 석 달 넘게 마당을 매만졌다. 몹쓸 역병이 세상을 휩쓰는 동안 장 지오노의 『나무를 심은 사람』에 나오는 양치기 노인처럼 세상과 거리를 두고 살았다. 콱 처박혀 산다는 말을 자주 했던 것 같다. 그동안 필요 이상의 대화와 만남으로 시간을 허비했으니 이제부터라도 온전히 나를 위한 시간을 조금씩 만들고 싶다.

귀향한 이후 마당을 꾸미는 일이 내 차지가 되었다. 돌담을 쌓을 때는 차를 끌고 돌을 주우러 다녔고, 꽃과 나무를 심을 때는 모종과 어린 나무를 얻으러 다녔다. 연못을 만들고 나서는 돌미나리와 부들을 구하러 다녔고, 텃밭을 일굴 때는 고종사촌 형님께 부탁해 이웃 마을 트랙터의 도움을 받았다. 철제 울타리는 사촌동생이 와서 세워 주었다. 닭장을 지을 궁리를 하고 있는데 아는 선후배들이 와서 멋진 닭장을 만들어 주었다. 푸른 알을 낳는 청계 중병아리는 외삼촌이 구해 주셨다.

내 스스로 할 줄 아는 게 아무것도 없다는 걸 요즘 깨닫는다. 판자에 못 하나 박을 줄 모르고 사다 놓은 엔진톱의 시동도 걸지 못한다. 그동안 흰 손목으로 도시에서 시밖에 쓸 줄 모르는 바보였다. 시골에서 살아가는 일은 모두 낯설고 새롭지 않은 일이 없다. 강변을 걷다가 고라니나 뱀을 만나는 일이 아직은 신비하고 놀라울 따름이다.

예전에 버스에서 내려 고향 마을까지 오려면 강둑을 끼고 4킬로미터쯤을 걸어야 했다. 미루나무가 줄지어 선 강변의 여름은 언제나 뜨거웠다. 장마철이면 때로 강물이 넘쳐 주변의 논밭이 물에 잠겼다. 적어도 80년대 초까지만 해도 그랬던 것 같다. 홍수를 방지한다는 목적으로 강둑이 생기고 아스팔트 도로가 만들어지면서 마을 사람들은 강물이 넘치면서 생기는 폐해를 걱정하지 않게 되었다. 기차를 타거나 읍내에 가기 위해 맨발로 강을 건널 일도 없어졌고 겨울 초입마다 나무를 베어 와 힘들게 다리를 놓는 일도 없어졌다.

편리한 강둑길은 마을과 강을 좌우로 완전하게 분리해 버렸다. 마을 사람들은 강을 잊어버렸고 강은 사람들을 잊어버렸다. 길이 그 둘 사이를 완벽하게 차단하면서 강물에 멱을 감는 사람들도 찾아볼 수 없게 되었다. 게다가 몇 년 전부터 이 내성천 상류에 영주댐이라는 거대한 괴물이 등장하면서 강물의 수량이 급격히 줄어들었고 은모래가 광활하게 반짝이던 모래사장은 버드나무와 갈대가 잠식하기 시작했다.

갈대숲 사이로 없는 길을 내서 수건을 들고 멱을 감으러 가 보았다. 풀 한 포기 없던 강에 식물이 뿌리를 내리면서 강은 숲으로 변해 가는 중이었다. 물가에는 고라니의 발자국이 또렷하게 찍혀 있었다. 갈대숲에 고라니가 서식할 수 있는 환경이 조성되었으니 고라니에게는 다행한 일이라고 생각할 수도 있다. 그러나 강둑길 때문에 고라니가 원래 살던 숲과 강변의 갈대숲은 나누어졌다. 한번은 내가 운전하는 차를 향해 100미터도 넘게 뛰어오던 고라니가 있었다. 고라니에게 날개가 있었을까. 그 녀석은 나를 발견하더니 십 미터도 넘어 보이는 둑 아래로 날아가 몸을 피했다.

가을에는 족제비를 처음 보았다. 뒷마당에 들어왔다

가 돌담을 넘어 종종종 사라지던 길쭉한 녀석. 옛적에 우리 둘째 고모부는 처가에 올 때 족제비 덫을 가지고 왔다 한다. 족제비를 잡는 이유는 그 털을 비싸게 팔 수 있기 때문이었다. 노란 털빛은 정말 오묘한 윤기를 뿜어내고 있었다. 나는 족제비에게 부탁했다. 앞으로 닭장 근처에는 어슬렁거리지 말고, 나랑 오래오래 친하게 지내자.

가끔 만나는 꾀꼬리의 노란 털빛도 내게는 매혹 덩어리다. 마당 한가운데로 꾀꼬리가 빠르게 날아가면 마치 창문에 노란 금이 그어지는 것 같다. 농사로 생계를 유지하지는 않지만 나는 조금씩 옛날의 농경문화를 복습하면서 그 속으로 편입되는 중이다. 그건 한가로운 전원생활이 결코 아니다. 아파트에서는 툭하면 관리사무소의 도움을 받았지만 여기서는 모두 내 손을 움직여야 한다. 작은 못부터 하찮은 비닐 끈까지 모두 챙겨 두어야 한다.

내가 살고 있는 이 골짜기를 어른들은 구리실이라고 불렀다. 고향에 돌아올 때까지 나는 구리실의 의미를 모르고 지냈다. 내가 태어난 집 옆에는 봄에 하얀 꽃이 자욱하게 피는 한 그루 나무가 있었다. 봄에는 그 나무가 늘어뜨린 가지에서 떨어진 꽃잎이 흰 눈처럼 마당 한쪽을 덮기도 했다. 사촌누님께 사라진 그 나무의 이름을 물었다. 누님은 할머니가 구릉나무라고 했다고, 또렷하게 기억해 냈다. 나는 무릎을 쳤다. 그 나무가 귀룽나무가 아닐까 싶었는데 내 짐작이 맞아떨어진 것. 구름나무로 부르기도 하는 귀룽나무. 구리실은 '귀룽나무가 자라는 골짜기'라는 뜻이었다. 5월에 나는 건너편 앞산 비탈에 귀룽나무가 떼를 지어 꽃을 피우는 것을 보았다. 구리실에 귀룽나무가 살아남아 줘서 고마웠다.

봄부터 텃밭에다 이것저것 생기는 대로 심었다. 감자와 고구마와 땅콩과 얼갈이배추는 성공했으나 장마가 길어 고추와 방울토마토와 옥수수는 실패했다. 팥도 수확 시기를 놓쳐 망쳤다. 김장배추와 무도 심는 시기를 놓쳐 볼품이 없었다. 올해는 고추를 줄이고 옥수수와 대파를 더 많이 심어 볼 생각이다. 외딴집이라 참견해 주시는 할머니도 한 분 계시지 않는다. 인터넷이 나의 선생님이다.

안상학 시인이 준 범부채 씨앗을 연못가에 묻어 두었더니 한 뼘 넘게 범부채 싹이 올라왔다. 첫해는 꽃을 피우지 못한다고 했다. 올해 여름에 범부채 꽃이 피면 연못 속의 잉어들이 부채를 부쳐 달라고 꽤나 보채겠다. 박성우 시인이 심어 준 정읍 구절초가 가을에 자지러지게 피었다가 졌다. 산국도 늦게까지 꽃을 달고 있었다. 박남준 시인이 하동에서 보내 준 가시연꽃은 연못의 물이 차가운지 몸살을 하는 것 같았다. 울타리에 심은 더덕은 올해 왕성하게 향기를 풍길 것이다.

눈에 띄는 대로 가을에 씨앗을 여럿 받았다. 남의 밭에서 부추 씨앗 한 봉투, 강원도 고개를 넘다가 코스모스 씨앗 한 봉투, 내성천 강변에서 금계국 씨앗 한 봉투, 예천여고 꽃밭에서 금잔화 씨앗 한 봉투, 나팔꽃이며 맨드라미며 봉숭아 씨앗 한 봉투…… 스무 가지가 넘는 것 같다. 씨앗을 심는다고 해서 모두 아름다운 꽃이 피고 좋은 열매를 맺는 건 아니다. 무엇보다 때를 잘 맞춰야 한다. 씨앗 위에 덮이는 흙의 두께와 씨앗이 뿌리를 내리는 데 필요한 물과 햇볕의 양과 북을 돋워 줘야 할 시기와…….
다시 봄이다. 겨우내 일을 하지 않고 잠만 자고 있던 괭이와 호미와 장화를 깨우러 갈 때다.

도전과 스밈과 골디락스

이 건 용

이건용
1947년 평남 대동에서 태어났다. 서울대학교 교수, 한국예술종합학교 교수 및 총장, 서울시오페라 단장을 역임했으며, 음악 작품으로는 칸타타 『분노의 시』 『들의 노래』 가곡집 『우리가 물이 되어』 『저물면서 빛나는 바다』 오페라 『봄봄』 『박하사탕』 등이 있다.

[산문]

도전과 스밈과 골디락스

이건용 작곡가

◆ ◆ ◆

나는 모더니즘(근대정신)의 사람이다. 나의 정신은 그로부터 세례를 받았고 키워졌으며 작곡가로서 나는 그 가치를 구현하며 살아왔다. 오십 대 무렵부터 이 정신에 대한 회의를 가지기는 했지만 그것은 이 정신에 기초를 둔 회의였지 근본적인 이탈은 아니었다. 지금 쓰는 이 글도 그 정신에 의해 훈련된 사고와 글쓰기에 의한 것이다. 어떤 얘기를 쓴다 하더라도.

나는 주체와 객체를, 나를 둘러싼 환경과 나의 자유를 의식하며 살았다. 나는 반성하였고 실천하였다. 나는 역사와 역사의 발전을 의식하고 믿었다.

근대정신의 세례는 구체적인 것이었다. 나에게 그것

은 음악으로 행해졌다. 슈베르트, 베토벤, 바흐의 음악이 나에게 들어왔다. 그 음악은 근대정신의 육화로서 나를 훈육하기도 하고 나에게 도전해 오기도 하고 나와 대화하기도 했다. 그 훈육과 도전과 대화에 의하여 나의 음악정신이 형성되었고 작곡가가 되었다. 당연하게 나는 그런 음악을 쓰려고 노력했다. 대상의 정신에 도전하여 그와 함께 성장하면서 자유로 나아가는 그런 음악.

나는 베토벤이 그의 〈제9교향곡〉을 통해서 하고자 했던 바를 잘 이해했다. 위의 악보는 그 4악장의 한 중간, 환희에 가득찬 첫 번째 부분 다음에 나타나는 "서로 포옹하라, 백만 인류들이여! 온 세상에 입맞춤을!"의 부분이다. 이 구절은 갑작스러운 침묵 뒤에, 낮은 금관악기와 함께 포르티시모의 유니즌으로 선포된다. 더없이 강력하게 표현되는 구절이라는 말이다. 명령법으로 제시되는 가사의 내용만큼이나, 거리 두기는 고사하고 이렇듯 거칠게 도전해 오는 음악은 그 이전에도 그 이후에도 보기 어렵다.

베토벤은 역사와 역사의 발전을 믿었고 그 실천으

로써 음악을 쓴 것이다. 그 음악이 사람들에게 훈육과 도전과 대화의 대상이 되어 함께 더 나은 미래를 향하여 나아갈 것을 희망하면서. 음악은, 예술은, 세상을 구원하는 무엇이며 당연 그것은 고귀한, 위대한 것이었다.

내가 유학 생활까지 마치고 작곡가로서 활동하기 시작한 것은 1980년대 초였다. 광주항쟁과 군부 독재와 그에 대한 저항, 민주화 투쟁의 승리, 그 이후의 우여곡절이 이어지는 시기였다. 재직하던 학교의 교정은 최루탄 냄새가 가실 날이 없었고 전투경찰이 교정에 들어와 진을 치기도 했다. 거리에서는 불심검문이 이루어졌고 팔이 뒤로 꺾여 사복들에게 붙들려 가는 젊은이들의 모습을 보며 살았다. "이러한 불의와 폭력에 아무런 말을 할 수 없다면 음악은 어떤 의미가 있는 것인가?"라는 생각이 어쩔 수 없이 고개를 드는 시절이었다. 나뿐이 아니었다. 미술, 문학, 철학, 인문학, 종교 등 많은 분야의 사람들이 같은 질문을 안고 씨름해야 했다. 평화로운 시대라면 마주하지 않아도 좋을 거대한 질문을 놓고 대답을 최소한 시도라도 해야 했다(실은 이 대답을 기피하는 것조차 쉽지 않았다).

'세상을 구원하는 음악'이라는 역할은 이 시대에 잘

들어맞는 것이었다. 한편으로 현실을 고발하고 다른 한편으로 사람들의 실천을 고양하는 음악이 요청되었다. 나는 음악이 도전자가 되어야 한다고 생각했다. 듣는 사람들로 하여금 응전하게 만들고 그 대결을 통해서 더 발전된 단계로 나아가는 것을 의도하였다. 나의 음악에는 문제의식이 있었고 그 문제의식이 가리키는 모순이 있었고 좀 더 이상적으로 나아가려는 방향성이 내포되어 있었다. 나는 거리 두기를 부정했다.

위대한 80년대가 지나고 변화가 왔다. 여러 방향에서 왔다. 80년대 말 정치적 민주화를 이룬 뒤 90년대에 급속히 온 거대 담론의 퇴조, 포스트모더니즘 사조의 유입, 가벼운 세대들의 등장, 국력이 높아지면서 느껴진 민족주의에 대한 부담감 등등. 예술에 부과되었던 구원자로서의 역할, 역사의 발전과 이를 위한 실천 등에 대한 믿음은 약해졌고 그러한 담론 자체가 거추장스러워졌다. 나는 위대한 예술이나 도전자로서의 음악을 의심하였다. 대신 작은 음악, 스밈으로써의 음악을 생각하였다. 환경처럼 옆에 있으면서 서서히 청자에게 스며들어 가는 그런 음악을 쓰려고 노력했다. 스며들어 가기 위해서는 강렬하거나 스스로 완결적인 구조를 갖는 것보다는 소박하고 흡수되기 좋을 만큼 묽은 구성의 작품이 필요했다.

나는 절에서 들을 수 있는 염불을 그 좋은 모델로 생각하였다. 시작과 끝이 필연적이지 않은, 구축되지도 않고 완결적인 사건을 그 안에 가지고 있지 않은, 다른 염불과 구별되는 자신만의 아이덴티티를 표명하지 않는, 그러나 존재도 있고 듣고자 하면 그 대상도 되는, 들으면 청자의 의식과 기억에 들어와 자리 잡는 그런 음악을 상상하였다.

쉬운 일은 아니었다. 감정적 기복을 옅게 만들기도 하고 모티브의 발전 속도를 늦추거나 아예 변형 반복으로 일관하기도 하고 재료를 미니멀하게 사용하여 음악의 정보 자체를 적게 만들기도 했으나 나의 음악 감수성과 음악을 만드는 솜씨 훈련은 근대적 음악의 방식에 충실한 것이었고 그것을 넘어설 수 없었다. 〈저녁노래〉라는 제목으로 쓰인 일련의 실내악곡들이었는데 결국은 모두 '하나의 완결된', 기승전결의 구조까지 있는 작품들이었다.

스며드는 음악을 만들면 듣는 사람이 언젠가는 그 음악을 흡수해 자신 안에 받아들인다는 보장이 있는가? 그렇지 않다. 사람은 모든 것을 받아들이지 않는다. 거부하기도 한다. 염불을 좋아하므로 그 환경 속에 내가 들어가 그 음악을 받아들이는 것이지 역겨워하는 소리 환경에서도 그러지는 않는다. 하기는 도전의 경우도 마찬가지이다. 작곡가가 음악으로 청중에게 다가간다고 해도 청중이 당연히 응전하지는 않는다. 청중은 피할 수도 무시할 수도 거부할 수도 있다.

생각해 보면 스밈이건 도전이건 그것은 소통의 방식일 뿐 정작 여기에는 내가 무엇을 전하는가 하는 것이 빠져 있다. 그리고 그 문제는 '청자는 무엇을 원하는가' 하는 문제와도 관련된다.

예술을 통하여 작곡가로부터 청중에게 전달되는 것은 무엇인가? 도전을 통해서 혹은 스밈을 통해서 청중은 음악적 감수성이 고양될 수도 있고 훈련이 될 수도 있고 그 언어에 익숙해질 수도 있고 문제의식이 투철해질 수도 있겠다. 그러나 그것은 아직 핵심은 아니다. 핵심을 얻기 위한 조건들일 뿐이다.

베토벤의 〈제9교향곡〉을 듣고 나는 인류애를 품을 수도 있고 이성과 박애의 정신이 다스리는 세상에 대한 믿음을 가질 수도 있다. 그러나 그러한 프로파간다를 얻기 위해서 그 음악을 듣지는 않는다. 그것은 그 음악이 주는 '다른 것으로 대신할 수 없는 즐거움(혹은 감동)'의 부산물이다. 스밈의 경우도 마찬가지이다. 내가 차갑고 딱딱한 불당의 마루에 앉아 오랜 시간을 견디는 것은 바로 이것, '다른 것으로 대신할 수 없는 즐거움(혹은 감동)'이 그곳에서 듣는 염불 안에 들어 있기 때문이다. 이것이 없으면 도전도 스밈도 소용없다.

'다른 것으로 대신할 수 없는 즐거움(혹은 감동)'을 지금 설명하지 못한다. 아마 앞으로도 어려울 것이다. 왜냐하면 이것은 말로 설명할 수 없기 때문이다. 우리가 아무리 노력해도 꿀의 맛을 언어화할 수 없는 것과 같다. 꿀의 맛은 오로지 그 맛의 체험으로만 설명되고 전달된다. 그 설명과 전달은 즉각적이다. 맛보면(맛보아야) 안다.

모든 음악에 '다른 것으로 대신할 수 없는 즐거움(혹은 감동)'이 있는 것은 아니다. 그렇지 않은 많은 음악이 있다. 나의 음악 감수성은, 나의 음악에 대한 동경과 작곡가가 되고자 했던 노력은 그 즐거움(혹은 감동)을 주는 음악에 대한 것이었고 그것에 의해서 키워진 것이며 그것을 구현해 보고자 했던 시도의 결과였다.

이 글을 이 글의 주제인 골디락스와 관련한 하나의 심증(아니면 오히려 희망이라고 해야 맞을지 모르겠다)을 언급하며 맺는다. 그것, '다른 것으로 대신할 수 없는 즐거움(혹은 그 감동)'은 우리가 그 대상을 어떤 거리를 두고 만나야 할지 그 스스로 방식을 정해 우리에게 체험으로 다가올 것이다. 그것이 지금까지 나를 키운 음악의 방식이었다.

3과 2의 결합과 조화

김 해 숙

김해숙
가야금 연주가. 한국예술종합학교 전통예술원 교수(現 명예교수), 제18대 국립국악원 원장 등을 역임. 독일 루돌슈타트 월드뮤직페스티벌 헤드라이너 선정, 라디오 프랑스 가야금산조 독집 음반을 출반한 바 있으며, 미국 유엔 본부 회의장, 카네기 홀 등지에서 공연했다.

[산문]

3과 2의 결합과 조화

김해숙 가야금 연주자

◆ ◆ ◆

〈골디락스〉를 위한 글감을 찾은 기쁨으로 이 글을 쓴다.

600여 년 가까이 우리 음악 속에서 변했으면서도 변하지 않은, 600여 년 전에도 들었으나 지금도 듣고 있는, 오래 머물 자격을 갖춘, 우리 음악 리듬의 본질적 요소. 세조 실록의 6대강을 통해 우리 음악 리듬의 속내를 들여다본다.

우리 음악에서 가장 멋진 특징을 꼽으라면 단연코 장단이 우선순위가 아닐까 한다. 흔히 일컫는 리듬을 우리는 그 하위개념에 드는 장단이라는 말로 설명한다. 인도의 탈라(Tala)를 한국음악의 장단에 비유하기도 하지만 선율, 시김새를 넘어서서 장단을 빼고 우리 음악의 특징을 꼽을 수는 없을 터! 장단은 박자의 집합이나 연속 또는 그 자체이며, 장고 형의 틀로 나타낸다. 그런데 장고 형으로 특징 지어지는 장단은 실제 쓰임에서는 다양한 리듬 변화가 일어나며, 그 변화의 핵심은 3과 2의 조화가 주요 축이다. 3과 2는 1이나 자체 수를 제외하고는 어느 수로도 나누어지지 않는 정수이고 소수素數이다. 조선 왕조 500여 년간 축적되고 17~18세기에 대대적인 변동을 겪어 만들어지고 전승되어 온 현존 전통음악에서 3과 2의 조화는 우리 음악 리듬의 엑기스 같은 존재이다.

우리 음악의 장단과 관련한 기록으로 세조(1455~1468) 실록의 6대강을 꼽을 수 있다. 6대강六大綱이란 여섯 개의 큰 마디라는 뜻이다. 여섯 개의 큰 마디는 모두 16박인데, 서로 다른 리듬 크기인 3박과 2박으로 이루어져 있다. 16박을 4박 4개나 8박 2개 또는 2박 8개로 쪼개면 참 쉬울 텐데 어찌하여 323323박의 불균등한 리듬 여섯으로 구성해 놓았을까? 혹자는 3과 2를 음과 양의 조화로 말하기도 하는데, 음양오행은 15세기의 사고방식에서 주요한 관습이었기에 이를 거기에 묶어 둘 수도 있겠다. 그런데 6대강

보에 기록된 고악보를 보면 정말 곡의 처음부터 끝까지 이 리듬대로 음악 행위를 했을까? 아니면 관습화된 기록 방식이었을까 하는 여러 가지 생각이 들기도 한다. 음악의 변화나 느낌 전달에서 템포가 주요 요건이 되기도 하는데, 아쉽게도 6대강보로의 기록에 구체적인 템포는 드러나 있지 않다. 예술 행위를 하는 사람들은 재미를 위해서 스스로 변화를 주고 싶어 하고, 그렇지 않다면 전승 단절은 자연스런 현상이 될 터이다.

조선 왕조 500여 년 동안 6대강은 변화되지 않고 그대로 있었는가? 만약 그랬다면 우리 음악의 특징으로 장단을 최우선으로 꼽지도 않았을 것이고 오늘날 우리 음악은 재미를 잃었을지도 모를 일이다. 시대를 거쳐 오면서 재미를 더해 오다 보니, 오히려 현대에 와서 외래음악에 비해 난해함으로 정착되어 버린 것은 아닐까? 그간의 우리 음악을 보면 선율을 그리는 데에는 지역마다 장르마다 섬세하고 깊은 공을 들여 와서 산 하나 강 하나를 넘기가 쉽지 않았고, 음색적 다양함의 구현도 이른 시기부터 이어 왔지만 그것을 수직(화성)적 구조로 구축해내지는 않았는데, 혹 리듬 변화의 재미에 너무 빠져 있었던 것은 아니었을까? 6대강은 어떻게 변화되어 오늘날 다양한 장단으로 연결되었을까? 또 변함없는 특징은 무엇인가?

6대강 구조의 16박 한 장단은 오늘날 가곡歌曲이라는 노래 장르에 고스란히 쓰인다. 가곡의 시원을 정과정 삼기三機곡으로 보면 고려 때가 될 것이고, 양금신보(1610)의 심방(신방)곡으로 보면 17세기 초반의 노래로 굿 음악과 연관되며, 가객 김수장(1690~1770)의 생몰로 보면 17세기 후반이나 18세기의 노래가 되며, 가집 발간으로 보면 김천택의 『청구영언』(1728), 김수장의 『해동가요』(1763) 등이 모두 18세기 초중반이니, 오늘날 가곡의 노래 역사는 아무리 짧게 잡아도 몇백 년이 넘어간다. 이렇듯 오래된 노래인 가곡에 6대강 구조가 고스란히 쓰이고 있다니 원 형태에서 하나도 변하지 않은 것일까?

가곡 장단의 첫 시작으로 볼 수 있는 구체적인 예는 장우벽(1735~1809 혹은 1730~1809)이 고안한, 8박을 반복하는 매화점 장단이었고, 오늘날은 16박을 장고 형에 따라 3 3 2 3 3 2 구성으로 보기도 한다.

가곡 매화점 장단으로 보면 15세기의 6대강은 300년이 지난 즈음에서야 그 박 수가 절반으로 줄어 변화에 시동이 걸리었는데, 처음 변화는 더디었어도 한번 터진 봇물이 가속화되리라는 예상은 그리 어렵지 않다. 조선 후기 왕조실록에 빈번하게 등장하는 이슈 중의 하나가 음악이 빨라지는 것을 심각하게 받아들이면서 경계해야 한다는 상소문 내용이다. 예술은 시대적 감성을 배제한 채 논리적 구도대로 이끌기는 쉽지 않을 터. 현존 가곡은 매우 느려서 그것이 8박인지 16박인지 카운트하기 어려운 속도부터 또박또박 셈해지는 10박 장단의 노래까지 있다. 한편 괄목할 만한 변화는 경기 굿 장단의 가래조에서 일어난다.

가래조 장단 빠른 8박은 4박 둘이 아니라 3, 2, 3박으로 결합되어 6대강의 리듬 특성인 3과 2의 조화에서 벗어나지 않고 있다. 가곡과 가래조는 장르를 뛰어넘어 8박으로 공유되나 템포에서는 시공을 초월하듯 두 배 이상 차이가 난다. 이는 6대강 16박 및 3과 2의 결합은 600년 가까이 변함없지만, 운동(장단)주기가 줄어들어 세월의 흐름이 드러나며, 뿌리는 굳건하되 가지는 변하면서 시공과 장르를 넘은 모습이다. 그런데 변화는 여기서 멈추지 않고 동해안 굿 장단인 청보1장에서 한 번 더 크게 일어난다.

청보1장은 8박 5마디가 한 장단(칸살)인데, 한 장단에 배열되었던 3, 2, 3, 8박은 이제 한 마디의 길이로 축소

된다. 16박 한 장단이 8박으로 줄어드는 데 300년쯤 걸렸고, 그것이 가속화되어 두 배 이상 빨라지고, 청보1장 8박은 다시 네 배쯤 더 빨라져 종착된 모습이다. 청보1장의 한 마디인 8박 즉 8/8이 3, 2, 3/8이 아닌 4/4박이었으면 현대인에게는 더 수월하고 익숙한 느낌이었을 테다.

조선조 후기에 일어난 우리 음악 특징(현상) 중의 하나가 느린 데서 빠른 데로 속도를 달려온 역사인데, 굿 장단의 형성 시기를 명확히 알 수는 없어도 템포로는 가곡–가래조–청보1장의 순이다. 전통사회에서 가곡은 소수 애호가들의 음악이었고, 굿 음악의 주체는 전문예술가 집단이었으며, 그 수요자는 대중이었다. 굿 음악이나 복잡한 굿 장단이 오늘날까지 존속될 수 있었던 데에는 수용층의 변화에 민감하게 반응하면서 시류의 흐름이 반영되었기 때문이고, 그 결과로 대중예술의 역할까지 겸하며 실용성이 더해진 장르였기 때문이다. 젊은 사람들이 '공연 보러 간다'거나, '콘서트 간다'고 하는 말을 옛사람들은 '굿 보러 간다'라고 표현했다.

그럼 6대강 구조는 템포만 빨라져서 오늘날 장단을 이루게 되었나?

우리 음악 리듬의 원조 격인 6대강은 6박(도드리) 장단이 출현함으로써 외형상 그 구조가 해체된 것 같은 시기를 맞는다. 왜냐하면 6박은 숫자상 2박×3이거나 3박×2가 되므로 3, 3 또는 2, 2, 2 등, 동등한 시가로의 리듬 결합을 이루므로 3과 2의 조화는 일어나지 않는 것처럼 보인다. 따라서 불균등리듬의 6대강에서 균등리듬으로의 이동은 리듬 구조의 밑동부터 바뀌어 버린 듯 큰 변화처럼 보인다. 이는 언제쯤부터였을까?

6박 장단으로 대표되는 도드리(악곡)는 보허자步虛子의 변주곡으로 『한금신보』(1724)에 처음 나타난다. 기록보다는 음악의 변화가 더 먼저일 것이므로, 그 형성은 늦어도 1700년 초에는 이루어졌을 터이다. 음악 양식사에서 대체로 성악곡이 기악곡의 변화를 유도해 오는 것이 일반적인데, 장우벽의 매화점장단 고안이나 한금신보의 도드리장단 출현의 예를 보면 우리 음악 장단 변화에서는 꼭 그렇지만은 않은 것 같다.

한편 현존 악곡 중 영산회상 염불도드리에서 빠른 염불을 거쳐서 타령으로 넘어가는 과정이나, 경기굿 도살풀이에서 모리를 거쳐 발뻐드레로 바뀌는 과정, 중모리에서 중중모리, 자진모리, 휘모리장단으로 바뀌는 과정 등을 살펴보면 6박 장단이 오늘날 다양한 장단 형성에 근간이었음과 동시에 6대강 구조의 핵심인 3과 2의 조화도 여전히 지속되고 있음을 알게 된다.

위 변화의 주요 핵심은 분박이다. 분박이란 기본 단위인 '박'이 리듬 꼴에 따라서 둘 아니면 셋으로 쪼개진 것을 말한다. 점 4분음표는 8분음표 셋으로, 4분음표는 8분음표 둘로 쪼개지므로, 이것을 전자는 3분박, 후자는 2분박 리듬이라고 한다.

앞에 예로 든 염불도드리 6박 즉 6/4이 빨라지면 그것은 6/8으로 기보되고, 이것이 한 번 더 반복되면 12/8로 타령이 된다. 이때 12/8는 흔히 점4분음표를 한 박으로 해서 4박으로 셈해져 3분박 4박자라고 한다. 템포에 따라서는 이를 12박으로 셈할 수도 있다.

6박자와 4박자는 8분음표 12개로 분박 개수가 같아서 4분음표가 여섯이면 6박으로, 점 4분음표가 넷이면 4박으로 카운트되고, 이 둘이 혼용되면 3:2의 리듬 대비가 생긴다. 3분박과 2분박의 리듬 혼용은 우리 음악에서 특별한 원칙 없이 일어나 6대강의 본디 요소를 상기시킨다. 도드리를 비롯한 진양조, 대풍류, 도살풀이 등 6박 장단이나, 타령을 비롯한 굿거리, 살풀이, 중중모리, 자진모리, 휘모리 등 4박 장단은 분박 리듬 꼴에 따라 박 수에 차이가 생기며 근본적 구조가 다르지는 않다.

결국 6대강 16박은 8박 한 장단에서 한 마디의 단위로까지 줄어들고 빨라져 있으며, 한편으로 6대강이 아닌 6박 장단이 출현함으로써 4박 장단으로의 변용이 화려해져 현존 음악 장단의 다양성이 구축되었고, 3과 2의 결합과 조화, 대비는 시공을 초월하여 지속된다.

정리해 보면 ① 템포의 변화는 시대의 흐름이었고 ② 장고 형은 장르별 명인들의 예술적 표현이었으며 ③ 다양한 박자로의 장단 구성은 변화의 모색이었으며 ④ 3과 2의 조화는 리듬 놀음의 원동력이며 ⑤ 이 모두는 6대강 구조에서 발원되었다. 미래에도 뿌리는 튼실하게 유지된 채 법고창신으로 세상 사람들이 사랑하는 우리 음악으로 이어지기를 기대한다.

※도움 자료
1. 6대강 및 가곡, 가래조, 청보1장의 주기 비교
2. 6박과 4박의 리듬 비교

그네

정호승

정호승
1950년 경남 하동에서 태어나 대구에서 성장했다. 1973년 대한일보에 시가 당선되어 작품 활동을 시작했다. 시집으로 『슬픔이 기쁨에게』 『서울의 예수』 『외로우니까 사람이다』 등이 있으며, 소월시문학상, 정지용문학상 등을 수상했다.

[시]

그네

정호승 시인

◆◆◆

너도 그네를 타 보면 알 거야
사랑을 위해 수평을 유지해야 한다는 것을
그동안 네가 수평을 유지해 본 적이 없어
한없이 슬펐다는 것을

오늘은 빈 그네를 힘껏 밀어 보아라
그네가 결국 중심을 잡고
고요히 수평의 자세를 갖추지 않느냐
너도 너의 가난한 사랑을 위해
수평의 자세를 갖추기 위해 진실해라

너는 한때 좌우로 혹은 위아래로
흔들리지 않으면 그네가 아니라고
더 높이 떠올라 산을 넘어가야 한다고
마치 손이라도 놓을 듯 그네를 탔으나
결국 그네는 내려와 수평의 자세를 잡지 않더냐

사랑한다는 것은 늘 그네를 타는 일이므로
부디 그네에서 뛰어내리지는 마라
수평인 그대로 고요해라

따뜻한 밥그릇과 식은 도시락과 빈 그릇 사이에서

최 일 도

최일도
1957년 서울에서 태어났다. 시인이자 목사. 다일천사병원, 다일복지재단 이사장. 열한나라 스무 군데 빈민촌에서 소외된 이웃에게 밥을 퍼드리는 나눔과 섬김을 실천하고 있으며, 저서로는 『밥 짓는 시인 퍼주는 사랑』 『행복하소서』 『밥퍼목사 최일도의 러브스토리』 등이 있다.

[산문]

따뜻한 밥그릇과 식은 도시락과 빈 그릇 사이에서

최일도 목사

◆ ◆ ◆

청량리역 광장에서 나흘을 굶고 길에 쓰러진 함경도 할아버지를 만난 지 올해로 33년이 되었습니다. 30년 넘는 세월이 흐르면서 소외된 이웃을 위한 무상급식이 단 한 번도 멈춘 일이 없다가 코로나19의 영향으로 무료 급식의 대명사가 된 '밥퍼'에도 '집합금지명령'이 내려지면서 잠정적으로 문을 닫아야 했습니다.

사회적 거리 두기가 강화되면서 '밥퍼'의 무상급식도 도시락을 나누는 방식으로 전환했습니다. 상황이 이렇게 되면서 무의탁 노인과 노숙인 형제들은 도시락을 길바닥에서 대충 먹거나, 쪽방에서 홀로 먹고 있는데, 그럴 때면 죽을 것 같은 외로움과 처절한 아픔을 느낀다고 호소합니다.

무의탁 어르신들과 노숙인들은 그 아픔과 외로움을 이렇게 표현했습니다.

"나 죽으면 코로나 때문에 죽는 게 아니라 외로워서 죽은 걸로 알면 되네."

"난 코로나로 죽기보다는 배가 고파서 죽겠소!!"

"음, 배고픈 건 견디겠는데 이 지독한 외로움 더는 못 참아!"

"내가 사는 쪽방에 평소에도 아무도 오지 않는데 말야, 갈 데는 여기밖에 없잖아. 어디도 갈 수가 없잖아!"

현재 '다일공동체'는 한국의 청량리 이외에 전세계 열 개 나라 21개 분원에서 '밥퍼'와 '빵퍼' 운동을 벌이고 있고, '꿈퍼'라고 불리는 교육 사업도 진행하고 있습니다. 나라마다 코로나19의 확진자 상황이 다르고 예방 및 정책 방향도 다르지만 하나같이 그 나라에서 가장 힘들게 사는 빈민촌에 삶의 자리가 있다 보니 가난한 이웃들의 사정은 일반인들이 상상하기가 힘들 만큼 괴로운 날의 연속입니다.

오늘도 마시는 국물 없이 식은 도시락만 들고 골목길을 걸으시는 쓸쓸한 노인의 뒷모습을 지켜보며 골디락스의 의미를 곰곰이 곱씹어 보았습니다. 영국의 전래동화「곰 세 마리」의 소녀 '골디락스'가 식탁에 차려진 '죽'을 먹는 모습을 상상해 보면서 혼란스러운 내 마음과 다시 평안을 되찾게 해 주는 절망과 희망 사이의 '골디락스 : 간격'의 요소들은 과연 무엇이었을까를 묻고 또 물어봅니다.

밥퍼에게 골디락스는 '따뜻한 밥'이요
'도시락'이요 '빈 그릇'

골디락스의 '죽'은 어떻게 보면, 저에게는 33년 동안 매일 기적을 경험하게 한 '밥'과 같습니다. 곰의 집에 차려진 접시에 담긴 뜨겁지도 차갑지도 않은 그 죽……. 하루 한 끼 밥을 얻어먹기 위해 눈만 뜨면 "먹어야 살지" 하며 찾아오시는 청량리 어르신들과 노숙인들에게는 밥 짓는 자원봉사자들의 눈물과 정성이 바로 '골디락스'였을 것입니다.

그동안 그분들은 '밥퍼'에서 갓 지은 따뜻한 '밥'과 '국'으로 함께 식사를 했지만 이제는 거리 두기와 집합 금지로 인해 길에서 먹거나 쪽빵으로 가지고 가 다 식어 버린 '도시락'으로 식사 한 끼를 해결하시는데, 그나마 배고픔에 지쳐 있는 어느 누군가의 '빈 그릇'보단 그래도 안심이 된다시며 울면서 먹습니다.

코로나19가 전세계를 휩쓴 지금 밥퍼의 '골디락스'는 무엇이었는지를 따뜻한 밥그릇과 식은 도시락과 빈 그릇, 이 세 가지 그릇으로 바닥 현장을 보여 드리겠습니다.

따뜻한 밥그릇

하루도 빠짐없이 무료급식을 해 왔던 '밥퍼나눔'은 IMF 시절에도 사스나 메르스 사태 때도 하루도 멈춘 일이 없었는데 코로나19로 멈춰야 했습니다. 지극히 마땅하고 당연하다고 생각했던 일이 갑자기 정지되고 온정의 손길도 딱 멈추고, 자주 뵙던 거리의 형제들이나 소외된 이웃들의 얼굴도 정부 방침에 따라 볼 수 없을 때, 몇 주 몇 달간 잠이 오질 않아 괴로워했습니다. '따뜻한 밥'을 나누던 지난 세월들이 벳세다 광야에서 물고기 두 마리와 보리떡 다섯 덩어리로 오천 명이 먹고도 열두 광주리가 남았던 오병이어五餠二魚의 기적이었음을 뒤늦게 깨닫게 된 것입니다. 일용할 양식이 없으니 하늘만 쳐다보는 간절함으로, 하루하루 하늘에서 내려온 만남이었기에 다시 한 번 가슴 깊이 "밥이 하늘이요, 밥이 평화요, 밥이 답이다!"라고 고백하며 날마다 밥을 짓고 나누는 밥퍼는 따뜻한 밥그릇입니다.

식은 도시락

코로나19가 잠잠해지기까지는 거리 두기를 지키며 도시락을 나눠 드릴 수밖에 없습니다. 하지만 도시락은 금방 식어 버려서 따뜻하게 식사를 하시라고 손수 국을 끓여서 일회용 통에 담아 드리거나 레트로 팩에 담긴 국을 아침 일찍 데워서 함께 드리고 있습니다. 이 어려운 코로나 정국에 소외된 이웃들은 얼마나 더욱 어려울까를 생각하는 자원봉사자들이 평상시보다 더 많이 찾아온다는 사실이 참으로 놀랍습니다. 더욱 감사드리는 것은 이 어려운 시기에 더 열심히 후원해 주시고 봉사해 주시는 분들이 계셔서 비록 식은 도시락을 기다리는 줄이 길게 섰으나 '밥퍼나눔'은 하루도 멈추지 않는다는 사실입니다. 그나마 그 틈새로, 그 간격에서 안도의 숨을 쉽니다.

빈 그릇

사회적인 거리 두기는 있지만, '밥퍼'에서의 '골디락스 : 간격'은 결코 멀어지지 않고 그 방식은 조금 바뀌었습니다만 온정은 아직 변함이 없습니다. 코로나19 영향으로 전국의 많은 무료급식소가 현저히 줄어들었고 경기가 어려워지면서 복지 사각지대에 있는 소외계층에도 무관심해지면서, 그들의 배고픈 나날을 떠올리는 마음 착한 봉사자들은 안타까움으로 가슴이 미어집니다. 성경에서 "우는 자와 함께 울라" 말씀하신 것처럼 저들의 눈물과 정성으로 '빈 그릇'이 눈물 젖은 밥으로 채워지고, 그 밥이 또다시 나누어지면서 청량리에서는 현재도 날마다 하루에 천여 명이, 해외 빈민촌까지 더하면 하루 5천~7천 명이 밥을 나누고 생명을 나눕니다.

골디락스(간격)는 '흔적'이요 '예술'

30여 년이란 짧은 나눔의 삶을 살면서도 많은 고비가 있었습니다. 그중에서도 무엇보다 가장 믿고 의지한 사람에게 배신당했을 때만큼 착잡하고 괴로운 일은 없을 것입니다. 저에게도 그 와중에 배반의 '상처와 아픔'을 겪고 정말 처절하게 마음이 무너지는 시간들이 있었습니다. 그 마음을 도저히 주체할 수 없어, 저는 무작정 동해 바다로 떠났습니다. 하필이면 기온마저 뚝 떨어져 얼마나 추웠는지 모릅니다. 하지만 겨울 바다에서 밀려오는 찬바람보다, 가슴 깊이 스며 오는 분노와 절망 때문에 제 심장은 꽁꽁 얼어 버리고 말았습니다. 그 후 며칠, 깊은 신음 속에서 저는 '골디락스' 간격을 경험했습니다.

흉터

제가 어린 시절에 본 '아버지의 상처'에 대한 기억이 났습니다. 아버지는 한국전쟁 때, 종아리를 관통하는 총상을 입으셨는데, 어린 제가 그 상처를 보고 놀라 물은 적이 있습니다.

"아버지, 이건 어떻게 생긴 흉터예요?"라고 묻자, 아버지가 저를 보면서 대답을 하셨는데 그때 그 표정을 평생 잊을 수가 없습니다.

"일도야, 네 눈에는 흉터로 보이니? 이건 대한민국의 자유를 위해서 아버지가 목숨 걸고 투쟁하다 얻은 흔적이야, 아름다운 무늬다!"

아! 저는 그때 깨달았습니다. '상처'를 흉터가 아닌 '흔적'이 되게 하는 간격을 난생처음 아버지에게 직접 배우며 '골디락스'를 경험하게 된 것입니다.

그 이후에도 제 안의 무수히 많은 '상처'들이 '시'를 쓰게 했고, 40년 세월을 거의 매일 빠짐없이 일기를 쓰도록 만들었습니다. 부끄럽고 수치스러운 내 삶까지 기록해서 저뿐만 아니라 홀로 울고 있는 이들에게 위로가 되고 회복을 준다고 생각하니 죽는 날까지 이 걸음으로 죽을힘을 다해 일기를 계속 써야겠다는 의지도 생깁니다.

흔적

어느 날 자식같이 난을 사랑하고 키우시는 벗님의 집을 방문했을 때 선물로 받은 도자기를 하루 종일 바라보았습니다. '킨츠키 기법'으로 깨진 그릇을 고쳐서 예술로 승화한 그릇입니다. 이제는 금이 가거나 이가 나간 그릇에 생옻을 붙이거나 금가루, 은가루로 덧입혀, 아름다운 그릇으로 재탄생시키는 예술행위이자 새로운 작품이라고 하는데 그 배경은 이렇습니다.

일본 최초의 다인茶人으로 일컬어지는 '요시마사'는 중국에서 전해진 다도를 처음으로 체계화한 사람이라고 합니다. 그가 특별히 아끼는 찻사발이 있었는데, 그 그릇 바닥에 균열이 생겨 이를 대체할 그릇을 찾아 나섰지만 발견하지 못해 깨진 그릇을 중국까지 보냈다고 합니다. 중국에도 결국 그 청자 그릇이 그때는 없어, 궁리 끝에 더 이상 균열이 생기지 않도록 그릇에 꺽쇠를 박아 요시마사에 돌려보냈다고 합니다. 그렇게 받은 그릇이 아름다웠을까요?

미적으로 볼 때, 전혀 아름답지 않아, 당대 최고의 도예가들에게 다른 방식으로 복원을 부탁했다고 합니다. 참 쉽지 않았겠지요. 그래서 도예 장인들이 고민한 끝에 금가루 섞은 옻칠을 해서 금 간 곳을 어루만지며 메웠다고 합니다.

그런데, 금이 간 그곳에 새겨진 금빛이 더해지자, 깨진 그릇의 간격은 그 이전보다 더욱 격조가 높아져서 또 다른 '아름다운 그릇'으로 거듭났다고 합니다. 그 이후, 일본 전역에 이 '킨츠키 기법'이 알려져서 널리 퍼졌으며, 깨어진 그릇을 버리지 않고 많은 시간과 비용이 들어도 새 그릇으로 대체하지 않게 되었다고 합니다. 흉터가 흔적으로 변화된 것이지요.

예술

'골디락스 : 간격'은 배신의 아픔과 깊은 상처까지 흉터가 아닌 '흔적'으로, 나중에는 아름다운 무늬로도 바꾸며 승화시키는 예술의 경지임을 새롭게 깨닫게 해 주었습니다.

원망이나 보복이 아닌 용납과 용서를 가능하게 하

는 것이 '골디락스 : 간격'이 아닐까 싶습니다. 외부로부터 자극이 왔을 때 아무 틈이 없이 바로 나오는 감정이 동물적 반응이라면 자극이 왔을 때 간격을 통해 '이 고난은 왜?'라고 묻는 질문이 가능하고 하늘의 뜻까지 묻고 찾아가는 사색과 명상이 이루어지는 그 틈새가 있을 때에 비로소 바른 응답도 나오게 됨을 깨닫게 됩니다.

독일 유학을 포기하고 땅바닥에 주저앉아 라면을 끓이던 청량리가 제 평생의 사명 실현지가 될 줄은 진정 몰랐습니다. 하지만 가난하고 척박한 삶의 자리, 그 바닥 현장이 존귀하신 예수님 마음을 본받고 싶은 마음이 들게 했고, 소외된 이웃들의 쓰라림과 서러움이 올곧은 삶을 추구하는 틈새요 간격이 되었습니다.

저의 사명 실현지인 청량리역 광장과 쪽방촌 골목길을 오늘도 걸으면서 작은 소망을 꿈꿔 봅니다. 이 땅에서 벌어지고 있는 사회적 거리 두기가 더 이상 사회적 밀어내기가 아닌 인간을 가장 인간답게 바라보는 아름다운 간격으로 치유되고 회복되기를, 또한 보기 흉한 흉터라고 원망하고 불평하고 끝없이 누군가를 탓하며 정죄하던 사람까지… 그것을 흔적으로 바꾸어 볼 수 있기를, 그 틈새와 간격이 먼 훗날엔 아름다운 무늬로 승화되어 진정한 예술의 경지에 이르게 되었다는 고백이 넘쳐나기를….

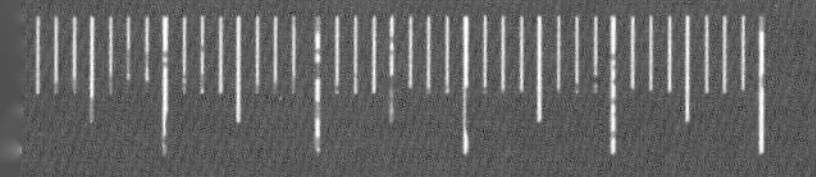

전남도립국악단 북앨범 〈골디락스〉 음악노트

류 형 선

류형선
1965년 광주에서 태어났다. 작곡가이자 음반 프로듀서. 국립국악원 창작악단 예술감독 등을 역임. 現 전남도립국악단 예술감독. 작품으로는 영화 귀향 OST『가시리』 국악동요『모두 다 꽃이야』 실내악『나무가 있는 언덕』『오래된 미래』 음악극『봄날』『현의 노래』『공무도하』 등이 있다.

[수록곡 해설]

전남도립국악단 북앨범〈골디락스〉음악노트

류형선 전남도립국악단 예술감독

◆◆◆

다람쥐, 나무를 심다

산에 나무를 가장 많이 심는 게 다람쥐이다. 우화寓話가 아니라 사실이다.

가을이 되면 온 산의 다람쥐들이 겨울에 캐 먹을 요량으로 상수리, 도토리, 밤, 개암 등 온갖 열매들을 땅속에 묻어 두는데, 그렇게 땅속에 갇힌 열매들이, 상상해 보시라. 우리 산에 얼마나 많겠는가.

문제는 다람쥐들이 천부적으로 기억력이 좋지 않다는 사실이다. 정작 겨울이 되면 가을 내내 애써 땅속에 묻어 둔 열매들을 어디에 묻었는지 절반도 기억을 못한다니 이를 어쩌나.

온 누리의 다람쥐들이 자자손손子子孫孫 다 못 찾아 먹고 땅속에 묻힌 열매들의 운명은 어찌되었을까? 이듬해 봄이 되면 싹을 틔울 것이고, 시간을 더해 나무로 자란다. 그래서 산에 나무를 가장 많이 심는 일등공신이 다람쥐이다. 우리나라 산이 저리 짙푸른 빛깔로 덧씌워져 있는 이유가 다 기억력이 좋지 않은 요요요 다람쥐 녀석들 덕분이다.

잘 생각해 보시라. 다람쥐들이 무슨 '생태 철학'을 기반으로 나무를 심은 게 아니다. 그저 먹고살려고 땅에 열매를 묻었을 뿐이고 운명적으로 기억력이 좋지 않아 절반도 못 찾아 먹은 것뿐이다.

먹고살려고 아등바등했을 뿐인데 결과적으로 자신의 주변을 아름답게 하는 삶, 일테면 '개체의 이익과 공동의 이익이 합체'되는 바로 그 지점에서 기억력이 좋지 않은 이 지상의 모든 다람쥐들이 한 생애를 수행하고 있는 것이다.

다람쥐를 빼어 닮은 예술가

예술가는 운명적으로 다람쥐를 쏙 빼어 닮은 인생이다.

그저 '내' 가슴에 먹먹하게 와 닿는 것을 작품에 담았을 뿐이다. '내' 심장을 뜨겁게 달구는 사건을 만나서 가슴 뛰는 에너지를 연주로 빚었을 뿐이다. 신열로 널브러진 '내' 아픔과 상처, 혹은 고단하고 눅눅한 '내' 일상 따위를 어떻게든 위무해 보려고 춤을 추었을 뿐이다. 다 '내' 삶에서 비롯된 것이고, '나'를 주인공으로 삼은 연행들이다.

그런데 오로지 '내' 것으로 아등바등 빚어낸 연주와 노래와 춤과 두드림이 세상의 공기公器로 쓰인다. 이른바 '공적 가치'를 발생시키는 것이다. 쓰임새가 크고 넓을수록 영향력은 커지고 지위는 높아지고 돈도 벌고 명예도 얻는다. 그것을 바라고 까만 밤을 하얗게 새워 가며 작품을 만든다.

공적 가치가 발생한다는 것은 그 예술작품이 '동시대' 사람들을 감동시킬 능력을 갖추었다는 의미이다. 작곡가 인생을 나도 서른 해를 넘겨 살았지만 민들레 씨가 바람에 흩날려 뭇 땅에 뿌리 내리듯, 내 일상에서 길어 올린 나의 음악이 누군가의 가슴에 내려앉아 어떤 감동을 발생시키고 있는지 나는 다 알 길이 없다. 알 수 없기에 신묘한 떨림 같은 게 있다.

감동은 어떻게 오는가? 살갗이 닭살로 변하는 순간, 코끝이 시큰하고 찡해서 기어이 눈물을 빼내고 마는 순간, 가던 길 잠시 멈추고 살아온 날을 곱씹어 보게 만드는 극심한 마음의 요동침, 사랑에 흠뻑 빠져서 갑자기 착하고 너그러운 사람으로 바뀌는 질적 전환, 오래 미루어 둔 용서를 구하고 싶고 오래 묵혀 둔 용서를 하고 싶어서 누군가의 전화번호를 뒤적이게 만드는 변화…. 이 모든 게 감동의 약효이다. 이 약효의 기저는 도대체 어디에서 비롯되는 것일까?

허다한 출처가 있겠지만 예술은 어김없이 그 감동을 목표로 하는 행위이다. 사람을 감동시키는 것 말고 예술이 할 수 있는 일이 이 지상에 있다면 무엇일까? 없다. 모든 예술은 사람에게 감동받을 기회를 제공하려는 행위이다. 그래서 예술의 개념을 정의한 수많은 명제 중에서 '삶이 곧 예술이다'라는 아포리즘을 나는 가장 신뢰한다. 삶이 곧 예술이니, 예술은 예술가 자신을 감동받아 마땅한 삶을 갈아가도록 부추기고 치유하는 힘으로 작동하기도 한다.

이 얼마나 행복한 일이란 말인가. 자신이 몸담고 있는 동시대가 감동에 빠질 기회를 끊임없이 제공하는 삶으로 특화된 인생, 그 예술가로 산다는 것 말이다. 그야말로 일당백의 '창조적 소수' 아닌가. 다른 무엇도 아닌 '감동'을 팔아 먹고사는 호구지책이니, 직업으로 봐도 폼 나는 업종이 아닐 수 없다.

국악은 공공적 가치 실현 영역

다람쥐와 예술가의 생태가 그러하듯 운명적으로 전남도립국악단은 개인의 예술적 열망과 공공의 이익이 합체되는 지점에서 살아간다. 원하든 원하지 않든 그게 우리의 운명적 존재 방식이다. 전남도립국악단뿐만 아니라 모든 국공립 예술단체 또한 그러하다.

국악은 공공적 가치 실현 영역이다. 국악이 다른 장르에 비해 과도한 무임승차를 누리고 있다는 의견이 적지 않으나, 그래서 명확하게 푹 꽂아 드리는 말씀인데 국악은 공공적 가치 실현 영역으로 다루어야 마땅하다. 달리 방법이 없다.

가령 전통예술의 보존·계승·발전과 국악의 대중화·현대화 — 이 강령綱領들의 함의含意는 전통예술의 공공적 가치 실현을 위해, 전통예술인 개인의 열망과 공공의 이익이 합체되는 지점에서 설정된 '오늘'의 전략적 과제들이다. 오늘의 문명이 전통의 뿌리를 기반으로 삼게 하고, 내일의 문명이 지나온 문명과 연속성을 갖게 하는 것, 이 백년대계百年大計의 지난至難한 예술적 과제를 수행하기 위해 국공립 소속 단체의 형태로 존재하는 것이다.

이 강령에 살을 붙이고 신경세포가 작동하도록 하지 않으면 국공립 예술단체들의 공통된 질환인 '존재 그 자체가 목적'인 예술집단이 되어 버린다. 존재 그 자체가 목적인 예술집단은 문화재청 관할이지 문체부나 지자체 소속일 필요가 없다.

그래서 전남도립국악단의 강령은 명확하다. 전통예술의 공공적 가치 실현!

이것은 우리의 춤과 노래와 연주와 연행이 동시대인들의 보편적 감동을 취득하기 위한 애씀과 노력으로 구현된다. 동시대인들이 감동받을 기회를 지속적으로 제공하기 위해 전남도립국악단 80여 단원이 모여 있는 것이다. 바쁘고 고단한 한편, 그 설렘으로 행복한 집단이다.

내가 부르는 노래가, 내가 연주하는 음악이, 나의 춤과 연행이, 동시대인들에게 어떤 감동으로 가 닿을 수 있을까? 이 질문으로 우리는 365일을 살아야 한다.

전남도립국악단

1986년 8월 9일에 창립된 전남도립국악단은 다섯 개의 동아리로 나누어져 있다.

풍물과 사물놀이를 거점으로 새로운 연희의 대로를 모색하고 있는 사물부, 한국 전통 춤의 창조적 계승 의지로 똘똘 뭉친 무용부, 판소리와 가야금 병창 선수들로 구성된 창악부, 가야금 거문고 대금 피리 해금 아쟁 타악 건반 연주자들로 동아리를 이룬 기악부, 마지막으로 모든 공연의 제작과 기획 및 행정 지원을 전담하는 공연기획실이다.

모두 다 전남도립국악단을 이루는 지체肢體이며 동시에 80여 명의 예술적 자아自我로 분화된 가치의 낱낱이기도 하다.(본래 100명이었는데 뭔 일이 어찌어찌 되어 20명이 현재 공백 상태이다.)

북앨범 〈골디락스〉에 수록된 아래의 음악들은 지난 2020년 3월부터 2021년 3월까지, 1년의 시간을 거쳐 새롭게 개발한 레퍼토리들인데, 그 중에서 엄선한 작품들이다. 백문百聞이 불여일청不如一聽이니 아래 음악들이 전남도립국악단의 '오늘'의 실체이니 들어 보시라.

어떤 것은 음악극에 쓰인 것이고, 어떤 것은 뮤직비

디오로 발표한 춤곡이며, 실내악 연주곡으로 쓰인 것이 특히 많다. 무용부의 춤과 사물부의 연희는 가무악歌舞樂 일체 형태이기에 눈으로 봐야 하는 것이어서 이 북앨범에는 담지 못한다. 하지만 전남도립국악단의 유튜브 계정이나 인스타그램을 통해 허다하게 만나 볼 수 있으니 참고하시라.

작품 해설을 하면서 뮤직비디오 영상이 준비되어 있는 음악들은 QR코드로 연결해 볼 수 있도록 하겠다. 모쪼록 귀와 눈이 더불어 즐거운 감상이 되시길 바란다.

01

음악으로 쓴 시詩 〈발자국〉 03:40

작곡 류형선
대금 강원집 피아노 이지연
기타 조성우 미디프로그래밍 전찬율

◆◆◆

이 작품은 '음악으로 쓴 서사시敍事詩'이다. 음악은 말이 없으니 오선지로 악상을 기보하는 익숙한 작곡 방식을 버려야 그것이 가능했고, 전혀 새로운 작곡 방식이어야 했다.

1980년 5월 18일 광주, 집을 나선 딸아이가 주검으로 되돌아왔다. 1년의 시간이 지나고, 집으로 돌아오는 딸아이의 발자국 소리가 환청으로 엄마의 귓전을 맴돈다. 수많은 영혼들을 앗아 간 계엄군의 군화 발자국 소리가 딸아이의 발자국 소릴 뒤엎어 버리는 것에 엄마는 몸서리친다.

연주자들에게 위 스토리를 좀 더 긴 글로 풀어서 제공했다. 가슴이 먹먹해질 때까지 대화를 나누었다. 눈시울이 촉촉할 쯤에 연주를 시작했다. 서사의 이면을 짧은 기타(guitar) 루프만을 의지하여 각 악기의 어휘에 맞게 즉흥연주로 표현하도록 했다. 말하자면 대략의 플롯만 있고 세세한 대본이 없는 극본 같은 것이다. 그 즉흥의 음렬과 음형들을 수십 트랙으로 리코딩한 다음 퍼즐 맞추듯 편집하는 방식으로 작곡한 작품이다.

여기에 대금 독주곡 〈청성자진한잎〉과 독주 〈시나위〉 가락을 발췌해서 강원집 단원이 입혔다.

02

Peace in Myanmar-구음 살풀이 04:44

작곡 류형선

구음 윤세린 표윤미 코러스 방기순

이면가락합주 윤암현(대금) 강아라(해금)
신정민(아쟁) 김동근(징)

신디 송진영 정은주

◆◆◆

미얀마 청년들과 그 청년들의 아비와 어미 된 이들과 견디기 힘든 아픔과 아무렇게 널브러진 주검과 도무지 지워지지 않는 상처와 온갖 공포와 두려움, 그리고 이 모든 것을 뛰어넘는 민주화를 향한 열망과 용기! 어김없이 1980년 5월 18일의 광주이다.

미얀마의 아픔이 우리의 통증으로 와닿으면서 넌버벌(non-verbal) 음악편지를 띄우고자 이 작품 〈Peace in Myanmar-구음 살풀이〉를 뮤직비디오로 제작, 유튜브에 실어 발표하였다. 2021년 3월 31일의 일이다.

뮤직비디오 말미에 미얀마 사람들에게 전남도립 국악단의 진심 어린 고백을 띄웠다.

"우리가 당신의 아픔을 압니다."

영상보기

윤세린·표윤미, 두 단원의 성음과 표정이 이 노래를 꼭 불러야 했던 이유를 기꺼이 납득시킬 것이다. 본인들이 노래하면서 그리 아팠다.

'이면가락'은 '수성가락'(노래의 선율을 따라가는 즉흥반주)의 전통을 잇대어 다성多聲으로 계승한 전남도립국악단의 새로운 도전인데, 악기가 노래 선율을 도와주는 것이 아니라 음악의 이면裡面을 직접 그린다 해서 '이면가락'이다. 대금 윤암현과 아쟁 신정민의 눈시울 붉은 연주, 더하지도 않고 모자라지도 않은 김동근의 징이 빚어내는 이면가락 합주가 미얀마 국민들에게 어떻게 가 닿을지 몹시 궁금하다.

03

전래놀이 노래 〈점아 점아 콩점아〉 05:12

편곡 류형선
독창 김근희 합창 전남도립국악단 창악부
코러스 송유림 안정아 방기순
민요가락구성 최윤석 구음 윤세린 최윤석
피리 이상동 해금 김혜숙 가야금 정선옥
대금 윤암현 아쟁 신정민 기타 조성우
피아노 정은주 타악 신창렬 베이스 김상배

◆◆◆

〈점아 점아 콩점아〉는 본래 구전으로 전해 온 전래놀이 노랫가락이다. 누군가 여기에 가사를 바꾸어 붙인 것이 정처 없이 떠돌다 우리 손에 닿았다. 갑오농민전쟁-3·1운동-4·19혁명-5·18민주화운동으로 이어지는 한국 근현대사의 맥락에 대한 통찰력이 돋보이는 개사인데, 소담스러운 민요 가락의 정서와 더없이 잘 어우러져 있다. 아련하고 소담스러운 결로 빚은 김근희의 독창은 뜻밖의 선물 같았다.

2020년 5월 18일, 5·18 40주년을 맞아 전남도립국악단이 뮤직비디오로 이 작품을 발표하면서 선언적 다짐을 이렇게 내걸었다.

"그날은 오늘의 시작입니다."

음원과는 달리 뮤직비디오의 〈점아 점아 콩점아〉 중간에 〈음악으로 쓴 시 '발자국'〉이 삽입되어 있어서 영상으로 볼 때는 음원과는 달리 제법 긴 음악일 것이다.

점아 점아 콩점아 떡 사줄게 나온나 떡 사줄게 나온나
갑오전쟁 때 칼 맞아 가신 갑오전쟁 때 칼 맞아 가신
우리 할배야 우리 할배야 음음 나온나

점아 점아 콩점아 밥 사줄게 나온나 밥 사줄게 나온나
3·1운동 때 총 맞아 가신 3·1운동 때 총 맞아 가신
우리 아비야 우리 아비야 음음 나온나

점아 점아 콩점아 술 사줄게 나온나 술 사줄게 나온나
4·19 때 총 맞아 가신 4·19 때 총 맞아 가신
우리 오빠야 우리 오빠야 음음 나온나

금남로에서 매 맞아 가신 금남로에서 총 맞아 가신
우리 누이야 우리 오빠야 음음 나온나

04

해금과 기타를 위한 세 개의 단상 〈눈사람〉

1·3악장 1악장 05:14 / 3악장 03:31 / 총 08:45

작곡 류형선
해금 강아라 기타 신정민

◆◆◆

눈사람을 굴려 본 사람들은 안다.

날이 개고 볕이 들면 그는 곧 작아질 것이고, 시간을 더 보내면 조금 더 위약해질 것이고, 머리가 먼저 땅에 떨어져 부서질 것이고, 몸도 형편없이 주저앉을 것이고, 어디선가 날아온 흙더미와 뒤엉켜 처참한 모습으로 기화氣化되다가 그렇게 꺼져 가는 것도 모르고 무표정으로 인내하다가 끝내 흔적도 없이 사라져 갈 것을.

한평생 이 지상에 머무르면서
그저 먹고살려고 발버둥쳤을 뿐인데,
그 결실을 달디달게 나누어 먹고 싶은 인생이 있다.
물론 그렇지 않은 인생이 있고.

그러니,

더는 그리 살지 말라.

산 그림자처럼 무거운 성찰의 글귀로 감성을 담금질하다가 해금 가락을 빚었다. 풍류의 계면조 혹은 산조의 평조에 기반한 가락을 현대적 감성의 어휘로 푼 것이다. 총 3악장으로 구성된 음악을 이 북앨범에서는 1악장과 3악장만 수록했다.

제 기량의 한계를 뛰어넘어 볼 작심으로 덤벼든 강아라의 고군분투가 이 연주에 깃들어 있다. 겨울 들판의 눈발 같은 이미지를 굳이 기타(guitar)의 아르페지오로 묘사했는데 기타를 연주한 신정민의 본업은 아쟁 연주자이다. 솜씨가, 듣기에 어떠신가?

영상보기

05

실내악 〈룡강기나리〉 07:00

작곡 이태원
가야금 정윤해 거문고 문미라
피리 이상동 대금 윤암현 해금 김혜숙
장구 공병진 타악 김동근 박상준 노래 김희영

◆ ◆ ◆

음악이 좀 삐딱하다. 쿨(cool)내 폴폴 풍기고, 단순한데 쉽지 않고, 이것저것 따져 묻는 일 하나 없이 엄숙한 치기로 툭툭 쓰여진 작품이다.

평안도 용강 지방에서 불리던 긴 아리 가락을 능청스레 얹기 딱 좋은 실내악 앙상블인데, 리듬의 반복적 패턴을 각 악기별 점묘로 분해시켜 놓고 군더더기 없이 쭉쭉 드라이브를 걸고 있다. 기발한 아이디어가 번뜩이는 걸 느낄 수 있을 것이다. 반복 패턴의 매듭과 윤곽을 헤아리느라 이상동·정윤해·김혜숙·윤암현·공병진·문미라—이 단잽이들이 제법 고생 좀 했을 것이다. 공을 충분히 들여야 배어나올 연주였을 것이다. 낯선 서도민

요를 가야금 병창 목으로 어르고 달래느라 김희영의 애씀도 녹록지 않았으리라.

오랜 세월이 다듬어 낸, 이 능청스런 노랫말의 농밀함도 좀 보시라.

조개는 잡아 젓 절이구
가는 님 잡아 정들여 보자
바람새 좋다고 돛 달지 마라
몽금이 포구에 들렀나 가렴
네 오려무나 네 오려마
날 볼래면 네 오려마

06

물속 춤 〈슬픈 우리 아빠〉 04:18

작곡 류형선
피리 윤정아　신디 송진영 정은주
구음 방기순

◆◆◆

무용부 홍은주 단원이 2021년 2월 27일에 뮤직비디오로 발표한 '물속 춤'을 위한 음악이다. 2014년 4월 16일, 진도 앞바다에서 온 나라를 울리고 떠난 단원고 아이들의 마지막 시간을 연출한 물속 춤이다. 부제는 '기억되지 못하는 운명들의 기억'인데, 기억되지 못하는 운명을 기어이 살아내는 이들에 대한 연민 같은 것이 이 물속 춤 영상에 묻어 나온다.

발이 땅에 닿지 않는 물속 경험을 평생 처음 해 보는 무용수는 이 영상을 찍기 위해 하루 10시간을 물속에 잠겼다 나왔다를 거듭하며 사투를 벌였다. 그래야 그 아이들의 마지막 시간을 오감의 통증으로 느낄 수 있을 것이기에 그랬다.

눈에 눈물이 어리면, 그 렌즈를 통해
하늘나라가 보인다 - 함석헌

07

피리 독주 〈나무가 있는 언덕〉 09:51

작곡 류형선
피리 윤정아 가야금 정선옥
신디 송진영 장구 김동근

◆◆◆

피리의 매력은 값이 싼 악기라는 사실이다. 대금 한 개 값이면 피리 10개, 25현 가야금 한 대 값이면 피리 50개를 구입할 수 있다. 대단한 매력 아닌가? 평생 좋은 악기를 확보하려고 갖은 애를 쓰며 사는 게 연주자 인생인데, 평생 구입량을 계산해 보라.

그보다 더 큰 피리의 매력은 그 작고 단단한 것이 '대장 노릇'을 한다는 사실이다.

국악 관현악 합주를 할 때의 피리는 군더더기 없이 주선율을 연주한다. 피리 주선율에 잔가락을 섞어서 한 옥타브 위로 연주하는 것이 대금과 소금이며, 피리 선율에 음색을 더해 주기 위해 해금이 필요했다. 피리 주선율의 옥타브 아래에서 저음을 풍부하게 받쳐주는 게 아쟁의 역할이었다면, 피리 주선율의 골격을 손가락으로 튕기며 발현을 더해 주는 것이 가야금과 거문고의 역할이었다. 어김없이 피리가 대장이다. 그래서 대장 피리 소리의 미덕은 꿋꿋하고 납작하고 압도하는 성음이어야 했다.

2002년에 쓰여진 이 작품을 통해 '대장 피리'가 실은 포용력 있고 보드랍고 말랑말랑한 성음의 포용성을 동시에 갖고 있는 악기인데 그동안 이 '마력'을 허투루 다루어 왔다는 사실이 증명되었다.

표제標題 '나무가 있는 언덕'은 있는 그대로의 내 모습을 기꺼이 보듬어 줄 수 있는 사람, 언제고 기대고 싶은 사람, 가슴에 얼굴을 묻고 기대어 아이처럼 엉엉 울어도 될 것 같은 사람, 그런 '길동무'의 메타포인데 표제의 정서에 맞게 보듬고 품고 다독이는 감수성이 시종일관 담겨 있는 작품이다.

연주자가 자신의 한계를 만난다는 것은 더없는 희열이다. 거기서부터 새롭게 뭔가를 시작할 수 있으니 말이다. 하지만 많은 연주자들이 그 한계를 만나지 못한다. 다른 일로 바빠서, 컨디션이 좋지 않아서, 굳이 그래야 할 이유가 없어서, 그 작품이 나와 맞지 않아서….
이런 각종의 '불가피한 이유'를 앞세워 자신의 한계를 만나지 못한다. 평생 그렇게 미루다 연주 인생을 마무

리하기도 한다.

윤정아는 이 작품으로 자신의 피리 소리가 표현할 수 있는 한계를 가감 없이 노출시켰다. 그 한계를 만나니, 아이처럼 설렌단다. 축하한다. 가장 먼저 녹음을 시작해서 가장 늦게 손을 놓은 정선옥의 가야금, '녹두밭 윗머리' 같은 가장자리 취급 받다가 이 작품으로 아랫목으로 내려온 건반의 송진영도 같은 설렘이란다. 축하한다.

08

거문고를 위한 세 개의 악상 〈용서하고픈 기억〉 3악장 05:56

작곡 류형선
거문고 김주란 문미라 피리 조자영
대금 강원집 타악 박상준

◆ ◆ ◆

용서해야 할 것을 더는 미루지 않고 살기로, 그리 소박한 다짐을 했던 날, 그 다짐이 행여 되돌려질까 봐 배수진을 치는 심정으로 '용서'라는 단어를 뼈대 삼아 살을 붙이고 숨을 불어넣어 이 음악이 만들어졌다.

용서라는 단어는 작곡가의 내면을 형편없이 헝클어 놓았다. 동시에 매우 예민한 감각을 곧추세워야 감지 가능한 미동 같은 것을 동반하고 있어서 이 작품의 출발은 미니멀리즘이었다. 미니멀 감수성의 거문고 악상을 먼저 만들고 그 거문고의 미세한 호흡에 준거하여 대금과 피리를 타악과 함께 얹는 방식으로 쓴 작품이다.

거문고스럽지 않은 미니멀 악상에 적응하느라 김주란·문미라 두 거문고 연주자의 근심이 강처럼 깊었다. 그 강에 배를 띄워야 할 조자영의 피리와 강원집의 대금과 아프리카 타악기 젬베(djembe)로 자진모리장단을 온전히 다루는 일에 처음 도전해 보는 박상준의 고뇌도 적지 않았다. 긴 터널의 끝을 만난 느낌이다. 물론 몇 개의 터널이 또 있을 것이다.

총 3개의 악장인데 이 북앨범에서는 3악장만 수록했다.

09

세상이 너를 알지 못해도
(오라토리오 집체극 '봄날' 피날레) 05:47

작사 김수형　작사·작곡 류형선
독창 김원중
대사·합창 김향순(병수엄마) 유민희(정미)
　　　　윤세린(장원) 한규복(현구) 최윤석(경철)
　　　　전진강(병수) 김근희·김희영(시민)
코러스 방기순 조수진 강석준 송순규
관현악 전남도립국악단 기악부
해금독주 강아라
사물 창동준(꽹과리) 유시명(징·꽹과리)
　　강민수(장구) 박준서(북)
기타 신정민 조성우　**신디** 송진영 정은주
베이스 전신일

◆ ◆ ◆

1980년 5월 27일. 전남도청을 지키기 위해 목숨을 걸어야 했던 시민군, 그들이 거기 남아야 했던 절박한 이유는 무엇이었을까?

이 질문을 거듭 또 거듭 던지고야 이 작품이 만들어

졌다. 질문 자체가 아프고 먹먹하다. 나는 아직도 납득할 만한 이유를 충분히 찾지 못했다.

전남도립국악단의 오라토리오 집체극 〈봄날〉(2020년 11월 13~14일)의 피날레로 초연한 음악을 2021년 5월 18일 광주민주화운동 41주년 기념 뮤직비디오로 새롭게 재구성하여 발표하였다.

광주의 정신을 오롯하게 지켜 온 가수 김원중에게 독창을 맡겼다. 그는 현재 전남도립국악단의 운영위원이기도 하다.

마지막 〈Mary Hamilton〉 연주에 실린 병수엄마(김향순 단원)의 대사와 정민(유민희 단원)의 흐느낌이 가슴에 콕 박혀, 도무지 떠나질 않는다. 당신도 그러할 것이다.

(대사)

정미　시민 여러분 지금 계엄군이 쳐들어오고 있습니다.

(독창)
물러서지 않으리 도청을 지키리라
부모 형제를 살육한 저 군부에 맞서

(대사)

장원 도청 지하에 가족을 찾지 못한 시신들이 있다. 누군가는 그들을 위해 싸운다.

현구 내 아들이 태어날 광주는 부끄럽지 않아야지.

경철 아버지가 공수놈들 피해서 시위대를 풀어 주는 걸 보니까 우리 아버지가 진짜 광주 경찰이라는 생각이 들데. 아버지 대신 나라도 광주를 지켜야지.

(독창/코러스)
그 누구도(누군가의 아들) 여기 남으라(누군가의 누이)
말하지(누군가의 엄마) 않았으나(누군가의 아빠)
누군가(누군가의 연인) 지켜야 한다면(누군가의 사랑)
우리가(누군가의 기억) 남으리라(누군가의 눈물)

(대사)

병수 금남로에서 내 옆에서 친구가 총에 맞아 죽었어요. 걔 고아거든요. 내가 대신 싸우지 않으면 아무도 몰라요.

(합창)

이름 없는 잡초는 없으리 그 이름을 모를 뿐

이름 없는 뭇별도 없으리

세상이 너를 버려도 우린 기억하리라

너를 위해 너를 위해 싸우리

(대사)

정미　　계엄군과 끝까지 싸웁시다. 우리는 광주를 사수할 것입니다. 우리를 우리를 잊지 말아 주십시오. 우리는 끝까지 싸울 것입니다.

(합창)

누군가 싸워야 했고 내가 그 앞에 있으니

사람으로 사람답게 싸운다 싸운다

누군가 싸워야 했고 내가 그 앞에 있으니

사람으로 사람답게 싸운다 싸운다

연주 : 스코틀랜드 민요〈Mary Hamilton〉

(대사)

병수엄마　병수야

병수　　응

병수엄마　밥은 먹었냐?

병수　　여기 도청 국장실이여. 엄마 꿈이

아들 도지사 되는 거였는디.

병수엄마　그라제. 아이고 우리 아들 다 컸다.
병수야 또 언제 집에 올래?

병수　오늘 밤은 도청에서 보내고….

병수엄마　그리여. 내일 아침에 일찍 오니라이.
이 에미가 따뜻한 밥 해줄 테니께, 낼
아침에 일찍 오니라이.

정미　시민 여러분 우리를 잊지 말아 주십시오.

10

판소리 합창 〈범피중류泛彼中流〉 02:57

편곡 류형선
독창 양신승 표윤미 윤세린
합창 김옥란 박미정 이현미 한규복 김진 김희영 김근희
미디프로그래밍 류형선 이범준　**신디** 정은주 송진영

◆◆◆

심청이가 거센 물살의 인당수로 몸을 던지기 위해 가는 물길 주변이 하필이면 그리 절경이었던 것이다. 그 절경을 병풍 삼아 바닷길을 유유히 떠가는 장면을 노래한 판소리 심청가의 〈범피중류〉 대목이다. 이 북앨범에서는 심청이가 몸을 던진 물결 사나운 인당수에 도착한 후 요동치는 바다를 마주한 선인들이 고사 지내는 모습까지를 간결하게 재구성하였다.

'국가정원' 순천만에서 펼쳐진 '동아시아 문화도시 순천' 개막식(2021. 5. 14.) 초청 작품으로 만들어졌으며, 공연 연출자의 요청에 따라 길이를 맞춘 다음 관성적이지 않은 바다 이미지의 미디프로그래밍과 국악기

의 이면가락으로 채색하였다.

여러 판소리 목을 하나의 선율 라인으로 집약시켜 거침없이 쭉쭉 질러내는 떼창이 그야말로 압도적인 성음이다. 긴 버전의 〈범피중류〉를 지금 한창 작업 중이니 곧 완결된 작품을 만나 볼 수 있을 것이다.

영상보기

엇모리(독창)

한곳 당도허니 이난 곧 인당수라 광풍이 일어나며 어룡이 싸우난 듯

대천 바다 한가운데 닻 잃고 노 잃고 용총줄 끊어져 안개 뒤섞여 젖어진 날

갈 길은 천리만리나 남고 사면이 검어 어둑 점그러져 천지 적막헌디

도사공 거동 보소 의관을 정히 쓰고 북채를 양손에 쥐고

자진모리(합창)

그저 북을 두리둥 두리둥 두리둥 두리둥 둥둥둥 두웅 두리둥 둥둥

북을 두리둥 두리둥 두리둥 두리둥 둥둥둥 두웅 두리둥 둥둥

북을 두리둥 두리둥 두리둥 두리둥 둥둥둥 두웅 두리둥 둥둥

(독창)

우리 선인 스물네 명 상고로 위업하야 경세우경년 표박서남을 다니다가

오늘날 인당수 인제수를 드리오니

(독창)

동해신 아명이며 서해신 거승이며 남해신 축융이며 북해신 흑룡이며

(중창)

강한지장과 천택지군이 하감하여 보옵소서

(합창)

글랑은 염려 말고 어서 급히 물에 들어라

고시레!

(타악 간주)

(합창)

어야뒤여 차 어기야 어야뒤여 차 어기야(×4)

11

관현악 합창 〈오래된 미래〉 05:11

작사 이도　편사·작곡·편곡 류형선
민요가락구성 최윤석　중창 표윤미 윤세린 최윤석 김진
합창 전남도립국악단 창악부
관현악 전남도립국악단 기악부
기타 곽수환　신디 송진영 정은주

◆◆◆

본래는 강은일의 첫 해금 독주 앨범 〈오래된 미래〉(2003년)의 타이틀곡이다. '라다크로부터 배우다'라는 부제를 달고 출간한 환경운동가 헬레나 노르베리 호지의 책을 읽고 쓴 작품이기도 하다.

인류가 가야 할 미래의 비전은 인류의 과거 속에 이미 경험되어 있다, 이것이 그 책이 안겨 준 메시지의 핵심이었다. 경험되지 않아서 보이지 않는 미래가 아니라 이미 경험된 '오래된 미래'이니 한층 희망적이지 않은가?

전남도립국악단에게 맡겨진 소명이라 할 수 있는

'전통예술의 보존·계승·발전', '국악의 대중화·현대화'도 결국 미래가 기억할 만한 오늘의 전통음악, 즉 오래된 미래 음악을 구현하기 위한 하루하루의 열정이 아닐까 싶다. 이를테면 오래된 미래는 국악의 슬로건이다.

해금 독주곡으로 쓴 작품을 열여덟 해를 넘겨 관현악 합창곡으로 재구성하면서 세종대왕 '이도'의 용비어천가 가사를 빌려 와 편사해 얹었다. 헬레나 노르베리 호지가 던진 화두에 대한 적절한 응답이 아닐까 싶다. 중간중간에 전라도에서 탯줄을 묻고 이 고을 저 고을 오래 떠돌던 민요 가락을 얹었는데, 그 기지機智의 소임을 최윤석에게 맡겼다. 압도적으로 채워내는 판소리 목의 떼창과 국악 관현악의 헤테로포니 합주로 원곡과의 확연한 차별성을 획정劃定했다.

뿌리 깊은 나무는 성난 바람 몰아쳐도
흔들리지 않으리라
기어이 꽃 피고 성한 열매 맺으리

12

12현 가야금 독주 〈비단길〉 07:19

작곡 황병기

가야금 이영아 장구 김동근

◆◆◆

고 황병기 명인은 다 잘 아는 작곡가 겸 가야금 연주자이니 따로 설명이 필요 없을 것이다. 〈비단길〉은 〈침향무〉, 〈미궁〉과 함께 그의 대표작 중 하나다. 신라 고분에서 발견된 페르시아 유리그릇에서 영감을 얻은 작품으로 전한다. 창작국악 초창기의 소담스럽고 진중한, 무엇보다 12현 가야금으로 실현 가능한 창의적인 음악 어휘들을 풍성하게 만나 볼 수 있다. 총 4장으로 되어 있는 원작을 이 북앨범에서는 2장과 4장을 중심으로 재구성했다.

오래오래 가야금과 더불어 살면서 손 마디마디에 통증이 질환으로 배어 있는 이영아 단원이 그야말로 온 힘을 다해 녹음했다. 그 모양이 하도 고마워, 그와 평생 동행한 12현 가야금도 얼마나 울먹울먹했을까.

13

25현 가야금과 대금 2중주 〈가야금이 있는 풍경〉 05:36

작곡 곽수은·류형선
대금 김대성　가야금 조한

◆◆◆

가야금 연주자 곽수은이 25현 가야금 독주곡을 먼저 써서 녹음을 했고, 그 독주의 디테일을 헤아려 들으면서 작곡가 류형선이 대금 가락을 붙인 수순의 작품이다.

청소를 마치고, 창문을 열고, 가을 아침 어느 즈음에 틀어 놓으면 더없이 정겨울 서정이다. 그리 쓰여진 작품이다.

대금 가락을 유연하게 타고 넘기 위해 연주자에겐 크고 작은 호흡의 조절과 시김새의 보정이 절실히 필요했을 것인데, 이 미세한 성취를 위해 김대성이 보듬어야 했던 시간의 무게가 어떠했을지 자못 궁금한 연주이다.

▶ 영상보기

14

해금 독주 〈세상에 아름다운 것들〉 05:55

작곡 강상구 편곡 류형선
해금 김지향
구음 김근희 기타 조성우 신정민 신디 정은주

◆◆◆

어린 왕자의 멘토인 여우가 말했다.

"어떤 것을 잘 보기 위해서는 마음으로 보아야 해. 가장 중요한 것은 눈에 보이지 않거든."

눈에 보이지 않지만 가장 중요한 것, 그게 뭘까? 궁금했다. 열한 살에 가졌던 이 의문은 마흔 넘어 책을 다시 읽어야 기껏 풀렸다.

꽃과 나무와 풀, 눈에 보이는 그것들이 아니라 눈에 보이지 않는 뿌리! 그것이었다. 땅속 깊은 곳으로 끝없이 침전할 뿐인 뿌리가 있기에 저 들판의 꽃과 나무와 풀이 살아 있는 것이다. '눈에 보이지 않는 뿌리', 그게 '가장 중요한 것'이다. 그 뿌리와 같은 삶을 기어이 살아내는 사람들, 보이지 않지만 가장 중요한 것, 세상에서 가장 아름다운 것들이다. 영민하기 그지없는 여우 같으니…!

나는 이 작품의 표제를 이렇게 해독했다. 그 뿌리를 판소리와 산조에서는 소리의 '이면'이라고 부른다. 판소리와 산조는 이면을 그리는 예술이다. 우리가 빚어내고픈 감동은 '이면을 건드리는 수준'의 감동이다.

김지향 김근희, 두 단원의 나이를 합쳐도 나보다 몇 살 적다. 해금도 구음도 다 그 나이의 정서에 묻어 있는 기록으로서 한 치의 가감이 느껴지지 않는 연주이다. 자신이 몸담고 있는 국악단에서 자신의 나이가 배어 나오는 연주를 기록할 수 있다는 것은 어떤 행복일까?

15

찰현악기 합주 〈접동새〉 08:21

작곡 계성원

소아쟁 한명화　대아쟁 신정민　해금 강아라 김지향

◆ ◆ ◆

'계면'의 뜻은 분칠한 여인이 눈물을 흘리니 얼굴에 경계가 생긴다 해서 계면界面이다. 계면가락은 그래서 슬프고 애통한 정서의 가락이다. 궁중음악의 계면조, 가곡의 계면조, 평시조의 계면조, 산조와 판소리의 계면조 등 가락을 이루는 구성음 질서나 시김새는 다 다르지만 정서는 다 계면이다.

소아쟁은 남도의 계면가락이 제 몸을 내어 맡기기 가장 명료한 발음發音의 악기이다. 대아쟁은 본래 '아쟁'이었지만 독주 능력을 갖춘 소아쟁이 20C에 새로 태어나면서 대아쟁이 된 것인데, 전통음악의 합주에서는 내내 굵은 저음을 연주하는 역할로 특화된 악기이다. 소아쟁이든 대아쟁이든 둘 다 몇 되지 않는 줄을 누르고 눌러 활대로 긁어내기 때문에 묵직하고 도탑지만 민첩하지는 않다.

해금은 귀엽고 앙증맞다가 칼로 무 써는 듯 날카롭고, 억장이 무너지듯 슬프다가 승률 100% 여 전사 아우라로 쿨(cool)내 진동하는 도도함까지 갖춘 그야말로 팔색조의 음색을 가진 악기이다. 워낙 순도가 높고 개성이 강한 탓에 다른 악기를 받쳐 주는 역할에는 어울리지 않는다.

소아쟁, 대아쟁, 해금 둘—이 넷은 현을 활대로 문지르며 소릴 내는 '찰현악기 앙상블'인데, 자연스럽게 무수한 마찰 노이즈가 동반되는 것을 피할 도리가 없다. 더구나 해금은 앙상블에 위약한 배음이고 아쟁은 가락의 선택폭이 협소한 악기이다. 이래저래 이 넷의 찰현악기 앙상블로 안정감 있는 실내악 사운드를 구현하는 건 쉽지 않다. 그래서 대개의 작곡가들이 이 편성으로 곡 쓰는 일이 없고, 단 한 번도 상상해 본 일이 내게도 없다.

작곡가 계성원이 이 편성에 손을 댄 것은 바로 이러한 '거부감'이 기껏 '관성'에 불과하다는 사실을 낙장 짓고 싶은 치기 때문이 아닐까, 이런 생각을 해 보게 만드는 작품이다. 찰현악기 연주자들에게는 '가문 날 먹구름 한 무더기' 같은 참 좋은 레퍼토리이다.

앙상블 음악은 연주하는 이들의 '관계의 색채'를 반영한다. 어떠신가? 오밀조밀한 호흡으로 엉겨 붙어 있는, 한명화를 비롯한 네 연주자의 관계의 색채는?

이 작품이 기반으로 삼고 있는 소월의 시詩를 아래에 적어 둔다.

접동
접동
아우래비 접동

진두강津頭江 가람가에 살던 누나는
진두강 앞 마을에
와서 웁니다.

옛날, 우리나라

먼 뒤쪽의
진두강 가람가에 살던 누나는
의붓어미 시샘에 죽었습니다.

누나라고 불러 보랴
오오 불설워
시샘에 몸이 죽은 우리 누나는
죽어서 접동새가 되었습니다.

아홉이나 남아 되는 오랍동생을
죽어서도 못 잊어 차마 못 잊어
야삼경夜三更 남 다 자는 밤이 깊으면
이 산 저 산 옮아가며 슬피 웁니다.

—김소월 「접동새」

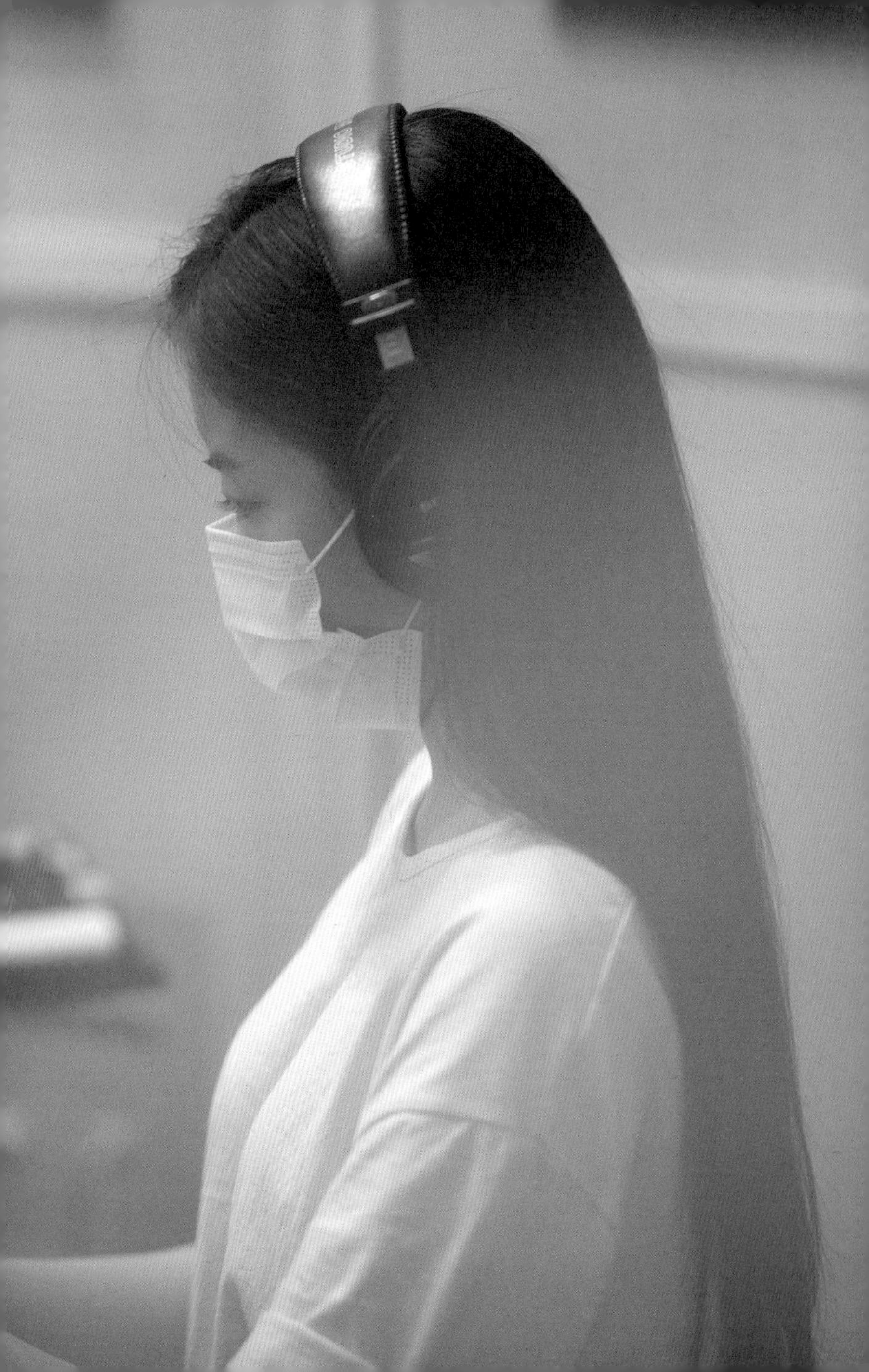

SONY

GOLDILOCKS

G O L D I L O C K S

GOLDILOCKS

GOLDILOCKS

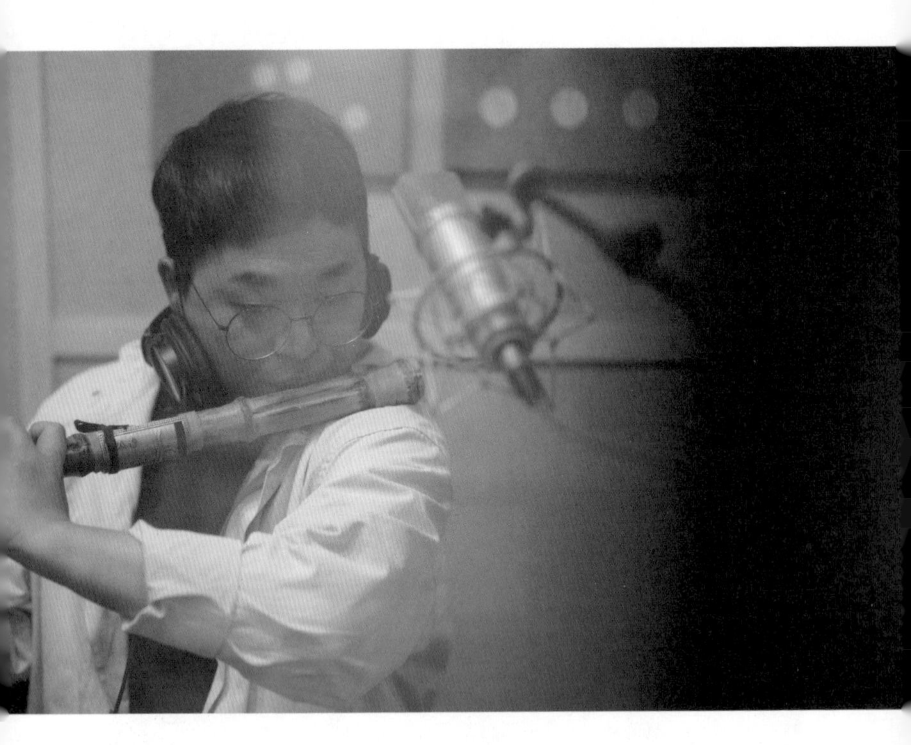

G O L D I L O C K S

SONY

GOLDILOCKS

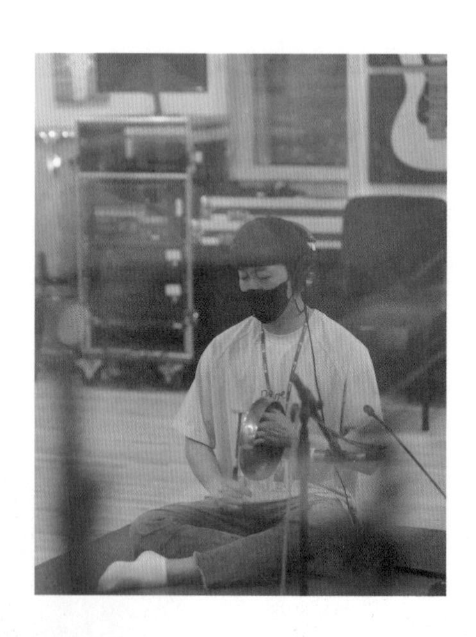

GOLDILOCKS

SONY

GOLDILOCKS

G O L D I L O C K S

We know

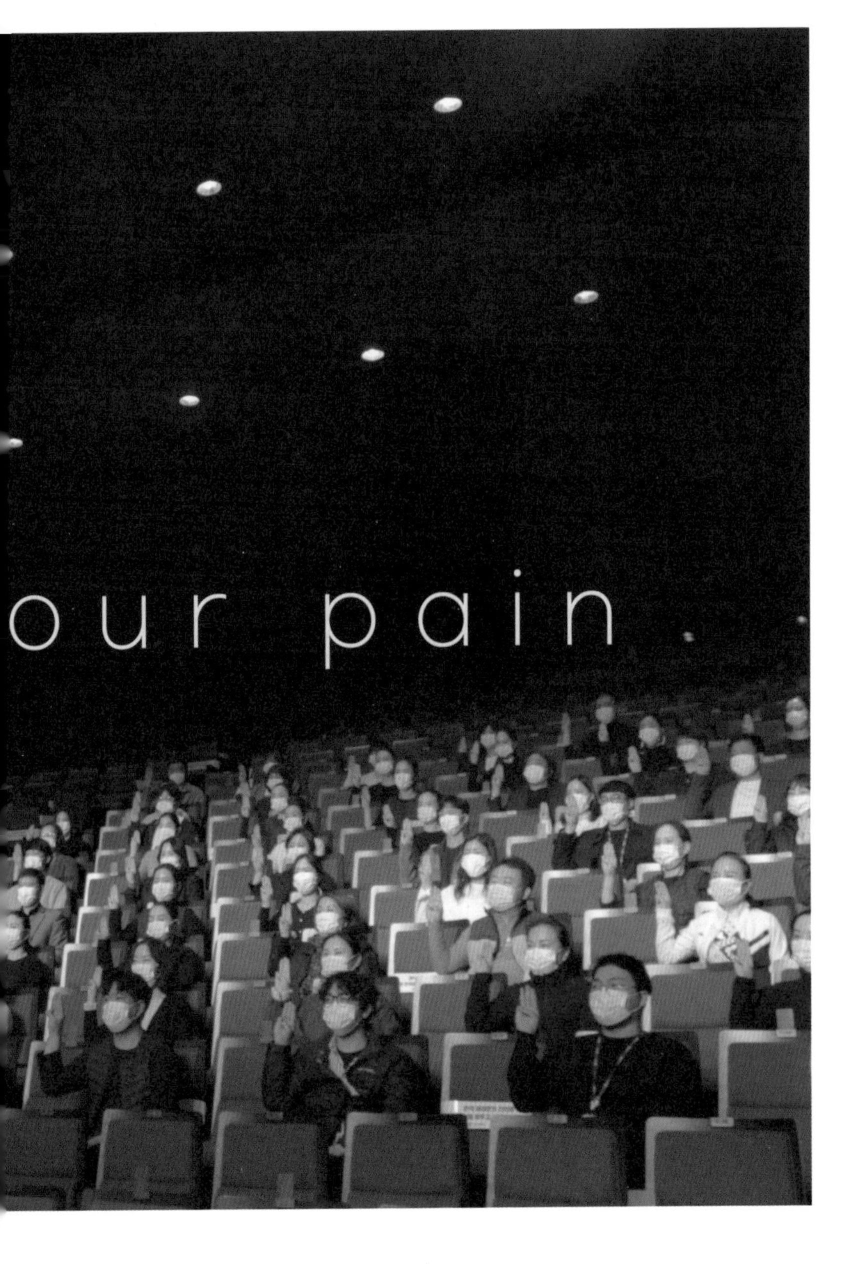
our pain

GOLDILOCKS

G O L D I L O C K S

골디락스 : 간격

2021년 9월 30일 초판 인쇄
2021년 9월 30일 초판 발행

음악프로듀서	류형선 예술감독
녹음진행	김동근 윤세린
리코딩	임재만 장유림 유현권(베이스튜디오) 이해균(광주음악창작소) 김정수(전남음악창작소)
믹싱·마스터링	임재만(베이엔터테인먼트)
사진촬영	허기수 이지은 순천시(2021 동아시아 문화도시 순천)
운영총괄	정종진 사무장
기획·홍보	이지은
제작진행	정향옥 박신애 김성용 기주영 박상연
제작	전라남도 전라남도립국악단
펴낸곳	도서출판 걷는사람
주소	서울 마포구 월드컵로16길 51 서교자이빌 304호
등록	2016년 11월 18일 제25100-2016-000083호

ISBN 979-11-91262-66-7 [03670]